INTRODUCTION
À L'ANALYSE DU POÈME

Collection Lettres Supérieures

Lire
Lire le Romantisme (Bony)
Lire le Réalisme et le Naturalisme (Becker)
Lire l'Humanisme (Legrand)
Lire l'Exotisme (Moura)

Introduction à
Introduction à la vie littéraire du Moyen Age (Badel)
Introduction à la vie littéraire du XVIe siècle (Ménager)
Introduction à la vie littéraire du XVIIe siècle (Launay)
Introduction à la vie littéraire du XVIIIe siècle (Tadie) -
Introduction à la vie littéraire du XXe siècle (Gerbod)

Introduction aux grandes théories du roman (Chartier)
Introduction aux grandes théories du théâtre (Roubine)
Introduction à la poésie moderne et contemporaine (Leuwers)
Introduction à l'analyse du roman (Reuter)
Introduction à l'analyse du théâtre (Ryngaert)
Introduction à l'analyse du poème (Dessons)
Introduction au surréalisme (Abastado)

Méthodes
Introduction aux méthodes critiques pour l'analyse littéraire
(Bergez)
Éléments de psychanalyse pour l'analyse des textes littéraires
(Wieder)
Éléments de linguistique (Maingueneau)
Pragmatique pour le discours littéraire (Maingueneau)
Introduction à l'analyse stylistique (Sancier)

Références
Précis de grammaire pour les concours (Maingueneau)
L'explication de texte littéraire (Bergez)
La dissertation littéraire (Scheiber)
L'atelier d'écriture (Roche)
Lexique de latin (Caron)

Philosophie
Les philosophes et la nature (Huisman-Ribes)
Les philosophes et le corps (Huisman-Ribes)
Éléments pour la lecture des textes philosophiques (Cossutta)

INTRODUCTION
À L'ANALYSE DU POÈME

par GÉRARD DESSONS

Bordas

En couverture :

Théo Van Rysselberghe
La lecture, 1903
Autour de Verhaeren lisant ses poèmes :
Félix Fénéon (debout), Francis Viélé-Griffin (assis, de face),
Henri-Edmond Cross (de dos).
Musée des Beaux-Arts, Gand

Ph. © Lauros Giraudon

© BORDAS, Paris, 1991
ISBN 2-04-019801-6

Avant-propos

Cet ouvrage se propose d'aborder l'analyse du poème par l'étude de sa spécificité, de ce qui fait qu'au cours de l'histoire, et quelle qu'ait été la forme dans laquelle il trouvait à se réaliser, on ait pu parler chaque fois de poème. Devant l'aspect en quelque sorte protéiforme du poème, la tentation est grande d'en faire le véhicule d'une essence : la Poésie. On tâchera au contraire de tenir ici le point de vue de l'histoire, en montrant que la spécificité du poème dépend chaque fois de sa situation historique. La poésie n'existe pas avant la parole vivante ; elle est plutôt, pour employer une image, au bout du poème. C'est-à-dire que chaque poème nouveau remet en question la définition même de la poésie.

Analyser un poème ne consiste donc pas à employer aveuglément un ensemble de techniques, mais à mobiliser un savoir pour étudier comment une œuvre signifie. En conséquence, l'analyse devra être attentive non seulement à la forme de l'œuvre, mais aussi — et en priorité — à la situation de cette forme : un sonnet de Ronsard ne s'étudie pas comme un poème en vers-libres d'Apollinaire, ni même comme un sonnet de Mallarmé.

On a donc proposé succintement, dans une première partie, une histoire des formes du poème, avant d'étudier, dans une deuxième partie, chacun des éléments constitutifs du discours poétique. Une troisième partie termine l'ensemble par le commentaire de deux textes : *Abel et Caïn*, de Charles Baudelaire ; *Feuillets d'Hypnos*, de René Char.

Table des matières

COMMENTAIRES DE TEXTES

Qu'est-ce qu'un poème ?

En somme il n'y a qu'un seul genre en littérature : le poème. Tout ce qui n'est pas poème n'est rien du tout.

Rémy de Gourmont, *Promenades littéraires*

I. Introduction

Si l'on dispose de critères plus ou moins constants pour définir le récit ou la pièce de théâtre — chacune de ces formes de discours a ses contraintes, liées à un type de communication particulier —, la notion de poème ne cesse de se dérober à l'analyse. Non qu'on ne puisse décrire chaque fois avec précision la forme d'un poème, mais cette forme varie non seulement avec l'histoire de la poésie, mais aussi avec les poètes ; et il faut bien reconnaître que ce sont eux qui font la poésie, et non l'inverse.

On ne croit plus maintenant que le poème doive nécessairement s'écrire en vers. Si le vers a été la forme historique du poème pendant plusieurs siècles, il ne l'est plus depuis que l'idée de poésie s'est déplacée, dès le XVIIIᵉ siècle, de la versification vers la prose, aboutissant, au XIXᵉ siècle, à la forme du «poème en prose». Cependant, et malgré la position sans ambiguïté de l'*Encyclopédie* — «D'autres ont cru que la *poésie* consistait dans la versification, ce préjugé est aussi ancien que la *poésie* même» —, on enseigne encore au XIXᵉ siècle que «la poésie est l'art de faire ou de composer des ouvrages en vers» (Dubois, *Traité de littérature,* 1838).

La lecture des poètes, d'autre part, montre que la dénomination de *poème* ne se fige pas dans la désignation d'un type particulier de discours, et que ce terme peut désigner, sans impropriété ni métaphore, par exemple le texte d'une pièce de théâtre. Ainsi, *Une voix sans personne,* «poème à jouer et à ne pas jouer» de Jean Tardieu (1950), se présente comme «une pièce sans personnage», avec des didascalies concernant le décor et la diction des acteurs : «une seule voix d'homme dira le texte du poème».

A la question du poème, on ne peut donc pas répondre définitivement. Ni par la forme, ni bien sûr par l'essence. Car, plus que chaque époque, chaque poète a son poème, lié ou non à des formes canoniques, se recommandant ou non de tel ou tel art poétique. Il importe donc à l'analyse d'évaluer chaque fois les enjeux d'un texte concret et particulier.

Mais une difficulté surgit quand il s'agit de concevoir l'*objet poème*, par le fait que la notion est liée peu ou prou à la dénomination même de «poème», qui est loin d'être constante à travers l'histoire. Malgré tout, on peut dégager quatre grandes caractéristiques qui apparaissent des constantes du discours poétique.

La première consiste dans le fait qu'il est un *système*, c'est-à-dire que toutes ses composantes, du phonème à la syntaxe, sont solidaires pour produire sa signification. Bien entendu — on le verra — tout discours, poème ou pas, est un système linguistique ; mais dans le poème, cette dimension se trouve mise au premier plan. Historiquement, d'ailleurs, l'écriture du poème et sa théorisation dans les traités et les arts poétiques reposent sur une mise en système des éléments qui le composent (structure du vers, des strophes, schémas des rimes).

La deuxième caractéristique réside dans la capacité du poème à constituer, plus que les autres discours, une *aventure du langage*. Paul Claudel, à propos du *Soulier de Satin*, parlait de «laboratoire» poétique. Non que la proposition soit absolument réversible — bien des poèmes (mais sont-ils encore des poèmes?) sont faits de recettes, tandis que des discours narratifs ou dramatiques présentent un caractère expérimental —, mais il est indéniable que le poème, parce qu'il suppose une attention portée à tous les éléments du langage (phonèmes, syllabes, syntaxe, lexique, graphisme, rythme) apparaît une sollicitation maximale des ressources linguistiques dans leur rapport à la signification et, au-delà, au sujet et à la société.

La troisième caractéristique concerne la *relation au sujet*. Si le poème est une aventure du langage, c'est qu'il est, en même temps, l'aventure d'un sujet. Celui qui écrit, le fait pour *devenir,* par le poème, celui qu'il n'est pas encore. Ce qui explique que le poème soit, chaque fois, quelque chose de singulier.

Un commentaire de Chateaubriand sur *Atala* (1801) évoque parfaitement cette particularité. Définissant son oeuvre comme «une sorte de poème, moitié descriptif, moitié dramatique», il précisait : «si je me sers ici du mot de poème, c'est faute de savoir comment me faire entendre autrement. Je ne suis point un de ces barbares qui confondent la prose et le vers. Le poète, quoi qu'on en dise, est toujours l'homme par excellence». L'approximation même de l'expression «une sorte de poème» exprime à la fois le caractère inadéquat des genres traditionnels — ici, le poème confondu avec le vers — à nommer une écriture nouvelle, et le sentiment que c'est cependant la notion de poème qui lui convient le mieux, précisément à cause de tout ce qu'elle engage de subjectivité dans le cours de sa genèse.

La dernière caractéristique du poème est sa dimension *politique*. Ce terme, pris au sens large, désigne l'ensemble des relations qui s'installent, par le langage, entre les sujets d'une communauté linguistique. Le poème, étant le discours où s'expérimentent, à travers le langage d'un sujet, des modes de signification particuliers, concerne au premier chef l'ensemble des lecteurs-auditeurs.

D'où la tendance à reconnaître comme «poèmes» les récits mythiques des civilisations orales, ces textes où, bien au-delà des histoires racontées, c'est l'énonciation qui compte, et qui règle les relations interpersonnelles, définissant du même coup l'individu et la collectivité. Dans la littérature orale africaine, «la cohérence des paroles, avant d'appartenir à l'ordre réflexif, se manifeste d'abord au niveau des comportements, à propos de situations et face à un public déterminés (...) Il existe des textes dont le contenu est secondaire par rapport aux comportements qu'ils suscitent[1]». On verra que la chanson de geste a joué ce rôle dans la société médiévale.

L'aperçu historique qui suit présente l'évolution des formes poétiques en «tendances», choisies essentiellement en raison de l'intérêt que notre regard contemporain peut y trouver, tout en sachant d'une part, que les «impasses» sont inévitables, et d'autre part, que l'examen des discours particuliers que sont les poèmes, sinon infirme ces tendances, du moins en relativise la portée. On s'efforcera cependant, tout en conservant la visée pédagogique qui est celle de cet ouvrage, de maintenir la relation entre la réalité concrète du poème et sa théorisation.

---

1. M. HOUIS, *Anthropologie linguistique de l'Afrique noire*, 1971

II. Histoire du poème français

1. Du vers latin au vers français

L'histoire du poème en langue française se confond initialement avec l'histoire du vers, et plus précisément du vers métrique, dont l'origine est gréco-latine.

Le vers latin classique consistait en la réalisation d'un *mètre*, combinaison codifiée d'un certain nombre de *pieds*. Les pieds reposaient sur la *quantité* syllabique, c'est-à-dire qu'ils étaient formés par la réunion de *syllabes brèves* (∪) ou *longues* (—) disposées en groupes de deux ou trois — parfois quatre ou cinq — comme l'iambe (∪ —), le trochée (— ∪), le spondée (— —), le dactyle (— ∪ ∪), l'anapeste (∪ ∪ —) ou le tribraque (∪ ∪ ∪). Ces groupements étaient réalisés indépendamment des divisions syntaxiques.

Ainsi, tel vers de Virgile, «Montibus in nostris solus tibi certat Amyntas[1]», se scandait :

1	2	3	4	5	6
— ∪ ∪	— —	— —	— ∪ ∪	— ∪ ∪	— —

| Montibus | in nos | tris so | lus tibi | certat A | myntas.|

---

1. *Bucoliques,* V, vers 8, («Sur nos montagnes, Amyntas seul le dispute avec toi»). Dans l'exemple de scansion qui suit, on a omis volontairement la marque de césure après «(nos)tris», pour la clarté de la démonstration.

La suite de six pieds qui compose ce vers n'est pas aléatoire, mais réalise un mètre particulier nommé «hexamètre dactylique». La rigidité du système était compensée par la relative souplesse qu'introduisait dans l'écriture la latitude — codifiée elle aussi — de remplacer tel pied par un autre. Ainsi, dans le cas de l'*hexamètre dactylique*, constitué fondamentalement de cinq dactyles, le sixième pied étant indifféremment un spondée ou un trochée, on pouvait substituer aux quatre premiers dactyles des spondées — le cinquième pied étant obligatoirement un dactyle. Dans notre exemple, les deuxième et troisième pieds sont des spondées.

On retiendra de ce principe métrique le fait que le vers latin ne reposait pas sur le nombre de syllabes : compte tenu de la substitution possible des pieds (un spondée est dissyllabique, un dactyle trisyllabique), un hexamètre pouvait alors comporter de treize à dix-sept syllabes.

Mais dès les premiers siècles du moyen-âge, le système est en pleine mutation. La métrique classique s'altère et la versification, de quantitative, devient numérique. Parallèlement à l'influence de la langue, où s'affaiblissait le sentiment de la longueur syllabique, la poésie métrique des chrétiens joue un rôle déterminant dans cette évolution. La nature strophique des *Hymnes* liturgiques (IVe siècle), requérant un nombre constant de syllabes pour conformer le texte à une mélodie se répétant à chaque strophe, rendait caduc le principe des pieds substituables, et ruinait pratiquement la logique du système métrique latin. Par la suite (IXe siècle), la prédominance du nombre syllabique comme principe d'organisation s'étendit aux *Proses* d'Eglise, constituées de groupes isosyllabiques ou hétérosyllabiques parallèles.

Quand, vers le Xe siècle, apparaissent les premiers poèmes en français, l'unité d'écriture est donc, depuis le haut moyen-âge, le vers numérique, et le restera pratiquement jusqu'au XIXe siècle.

2. L'oralité de la chanson de geste

Poème narratif chanté en public, la chanson de geste appartient à la littérature orale. Cela implique une conception particulière de l'œuvre littéraire, dans laquelle les notions d'auteur et d'interprète ne sont pas dissociables. Ces poèmes, longs parfois de plusieurs milliers de vers, chantés avec accompagnement de vielle, se transmettent de jongleur à jongleur, se modifiant en fonction des circonstances et au gré du récitant. Les rares manuscrits qui nous sont parvenus représentent donc, en même temps, un état provisoire de la geste, et un poème achevé, totalement déterminé par le caractère oral de son énonciation.

Le poème se compose d'une succession de *laisses* regroupant un nombre variable de vers, décasyllabiques en général, sous une même *assonance* (identité de la voyelle accentuée finale). *La Chanson de Roland,* qu'on prendra en exemple, compte 4002 vers répartis en 291 laisses de 5 à 35 vers, construites sur 22 assonances différentes. Dans l'exemple suivant, l'assonance de la laisse est en [a] :

> Quant ot Rollant qu'il ert en l(a) rereguarde,
> Ireement parlat a sun parastre :
> «Ahi! culvert, malvais hom de put aire,
> Quias le guant me caïst en la place,
> Cum(e) fist a tei le bastun devant Carle?[1]»

La fonction de l'assonance est de constituer une laisse en unité prosodique et sémantique du poème. On a parfois évoqué la pauvreté de ce principe d'écriture, soulignant que le nombre restreint des assonances — tributaire en fait du système vocalique de la langue — favorisait le retour des mêmes mots-chevilles ; ce qui est méconnaître la spécificité d'une poétique étrangère à la conception individualiste et moderne de l'invention.

Une chanson de geste ne préexistant pas, intrinsèquement, à sa profération, ses caractéristiques «fonctionnelles» sont aussi les composantes de sa valeur poétique. Elles en définissent l'«originalité», en dehors de toute esthétique de la surprise : la chanson sait où elle va, comme le jongleur et son public. Le retour des mêmes mots porteurs de l'assonance n'est donc pas réductible à un strict processus phonique.

L'assonance est notamment indissociable du mouvement d'héroïsation qui fait converger les vers d'une laisse sur le nom

---

1. Laisse LX : «Quand Roland entend qu'il sera à l'arrière-garde, il parle avec colère à son parâtre : "Ah ! coquin, homme lâche et de vile espèce, / tu as cru que le gant me tomberait des mains à terre, / comme fit à toi le bâton, devant Charles ?"» (Traduction de G. Moignet, éd. Bordas)

d'un des protagonistes de la geste : dans *La Chanson de Roland,* les laisses en [ã] sont essentiellement celles de Roland, les laisses en [e], celles d'Olivier ; les laisses en [a], celles de Charles. L'effet se renforce quand la voyelle assonante occupe également l'autre pôle métrique du vers, la césure :

> Ço dist Rollant : // «Cornerai l'olifant»(v. 1702).

Plutôt que l'histoire elle-même, c'est l'énonciation de l'histoire qui constitue le «sens» de la chanson de geste. D'où l'importance des *formules,* ces tours syntaxiques distribuant le sens selon l'articulation métrique du vers. Ainsi, dans le cas du décasyllabe — qui s'articule régulièrement en 4 + 6 syllabes —, à telle suite quadrisyllabique : attribut + verbe être + groupe nominal : «Halt sunt li pui» («Hauts sont les monts»), répond la suite hexasyllabique : et + groupe nominal + attribut : «e li val tenebrus» («les vallées ténébreuses»). Voici d'autres exemples : «Clers est li jurz // e li soleilz luisant», (Clair est le jour, et le soleil brillant) ; «Granz sunt les oz // e les cumpaignes fieres», (Grandes les armées, et les compagnies fières).

Ces formules contribuent fortement à la cohésion du texte, non seulement par leur double effet de matrice sémantique et rythmique, mais aussi parce qu'elles lient intimement le sens, la structure du vers et l'intonation, l'adjectif initial, généralement monosyllabique, ouvrant la laisse par un accent tonique. Il faut certainement voir dans l'attaque tonique de la laisse par un monosyllabe, la valeur intonative de ce qu'on a appelé «l'inversion épique». Comparer l'initiale tonique du v. 2397 : «**Morz** est Rollant, Deus en ad l'anme es cels» («Mort est Roland, Dieu a son âme dans les cieux»), à l'initiale atone du v. 2338 : «Ro**llant** ferit en une perre bise»(«Roland frappe sur une pierre bise»).

Comme l'assonance et la formule, la liaison par reprise en début de laisse du dernier vers de la précédente, ou encore la juxtaposition de laisses dites «parallèles», voire «similaires», loin d'être de simples outils au service d'une technique de récitation, constituent une véritable syntaxe du poème, l'organisation spécifique de sa signification.

3. La lyrique Médiévale

Les XIIe et XIIIe siècles voient se développer deux grands courants poétiques, l'un d'origine «savante», l'autre d'origine «populaire», qui se sont influencés mutuellement. Bien que les oeuvres «savantes» soient écrites par des auteurs reconnus, contrairement aux oeuvres «populaires», généralement anonymes, elles ont en commun d'être des poèmes chantés sur un accompagnement musical : des *chansons*.

La canso des troubadours

La lyrique courtoise des poètes de langue d'oc se chante sous la forme de la *canso* (la *chanson d'amour* des poètes de langue d'oïl). C'est un poème comportant de quatre à six strophes ou *coblas*. Chacune se compose d'un nombre fixe de vers (de sept à dix), avec comme mètres de prédilection l'octosyllabe et le décasyllabe césuré 4 + 6. Les vers d'une *cobla*, qui peuvent être hétérométriques (voir p. 96), sont généralement rimés.

Dans le genre de la chanson, la *canso* se distingue par la recherche de la variété et de la complexité, tant sur le plan des mètres, que sur celui des rimes. Voici une *cobla* du poème «Non es meravelha s'eu chan» («Il n'est pas étonnant que je chante») de Bernart de Ventadour :

Aquest' amors me fer tan gen	*Cet amour me blesse*
	noblement
al cor d'una dousa sabor	*au coeur de sa douce saveur*
cen vetz mor le jorn de dolor	*cent fois le jour je meurs de*
	douleur
e reviu de joi autra cen	*et je revis de joie encore cent*
ben es mos mals de bel	*mon mal est d'un si beau*
semblan	*visage*
que mais val mos mals	*qu'il vaut mieux mon mal*
qu'autre bes	*qu'autre bien*
e pois mos mals aitan	*et puisque mon mal m'est si*
bosm'es	*bon*
bos er los bes apres l'afan	*bon est le bien après le mal*[1].

---

1. Traduction de Jacques Roubaud.

Cette strophe se compose de 8 octosyllabes disposés selon un double schéma de rimes embrassées : (**a b b a c d d c**). Le premier quatrain constitue le *frons* ou front — toujours de structure symétrique —, et le second, la *coda* (queue), de structure indifférente.

La chanson à refrain

Les formes populaires de la chanson — *chanson d'ami, de malmariée, de toile, aube* — ont une structure plus simple que la chanson courtoise. Mais ce qui les distingue surtout, c'est la présence de *refrains*. Ainsi, la *chanson de toile* se compose de plusieurs strophes de trois à cinq vers sur une ou deux rimes, suivies chaque fois d'un refrain. Voici la première des dix strophes dont se compose une chanson anonyme, «Bele Aiglentine»:

> Bele Aiglentine en roial chamberine
> Devant sa dame cousoit une chemise :
> Ainc n'en sot mot quant bone amor l'atise.
> *Or orrez ja*
> *Comment la bele Aiglentine esploita.*

Les poèmes à forme fixe

L'influence de ces formes à structure simple sera déterminante, à partir du XIVe siècle, dans le succès des poèmes à forme fixe.

— *La ballade* est composée de trois strophes de structure identique, terminées chacune par un refrain de un ou deux vers. Généralement, elle se termine par un *envoi* correspondant à une demi-strophe, et commençant par le mot «Prince» ou «Princesse». Voici la première strophe de la «Ballade des menus propos» de François Villon (après 1450), dont le dernier vers constitue le refrain :

> Je congnois bien mouches en let,
> Je congnois a la robe l'homme,
> Je congnois le beau temps du let,
> Je congnois au pommier la pomme,
> Je congnois l'arbre a veoir la gomme,
> Je congnois quant tout est de mesmes,
> Je congnois qui besongne ou chomme,
> Je congnois tout, fors que moy mesmes.

— *Le rondeau* (simple) s'ouvre et se ferme sur deux vers-refrains, le premier étant repris à l'intérieur de la strophe, comme dans ce poème de Guillaume de Machaut (XIIIe siècle) :

> *Se par amours n'amiez autrui ne moy*
> *Ma grief doulour en seroit assez mendre*
> Car m'esperance aroye en bonne foy,
> *Se par amours n'amiez autrui ne moy.*
> Mais quant amer autre, et moy laissier voy,
> C'est pis que mort. Pour ce vous fais entendre
> *Se par amours n'amiez autrui ne moy*
> *Ma grief dolour en seroit assez mendre.*

— *Le virelai* commence et finit par un refrain de quatre vers minimum, les deux premiers pouvant être repris, au cours du poème, entre deux couplets. Voici la première moitié du «Virelai de l'orgueilleusette» de Jean Froissart (après 1350). Le poème continue par deux couplets, puis reprend en refrain la première strophe :

> *On dit que j'ai bien manière*   Je cuidai estre premiere
> *D'estre orgueillousette :*   Ou clos, sus l'herbette ;
> *Bien affiert a estre fiere*   Mais mon doulx ami y ere,
> *Jone pucelette.*   Coeillant la flourette.
>
> Hui matin me levai,   *On dist que j'ai bien maniere*
> Droit a l'ajournee ;   *D'estre orgueillousette.*
> En un jardinet entrai
> Dessus la rosee.

4. Les grands rhétoriqueurs

On désigne par le nom de «Grands Rhétoriqueurs», des poètes qui ont écrit entre 1460 et 1520. Leur pratique du poème repose essentiellement sur un travail linguistique prenant pour base l'élément phonique du langage, principalement la syllabe. Les syllabes métriques du vers — à la césure et à la rime — étant les plus marquées, forment la base de figures codifiées. On en donne ici quelques unes, en précisant que la terminologie varie selon les auteurs d'«Arts poétiques», ou d'«Arts de seconde rhétorique»:

— **Rime annexée ou enchaînée :** la syllabe de la rime est reprise au début du vers suivant :

> Compains, qui en bien con**verse**,
> **Verse** dedens ce hanap.
>
>   (Anonyme).

— **Rime fratrisée :** le mot entier à la rime est repris au début du vers suivant :

> En désespoir mon cuer se **mire** ;
> **Mire** je n'ay si non la mort.
> (Anonyme).

— **Rime batelée :** la fin du vers rime avec la fin de l'hémistiche suivant :

> Mort très cruelle / et felle, qu'as tu **fait** ?
> Tu as dé**fait**, / sans dard, glaive ou coustille
> (Jean Molinet).

— **Rime brisée :** les vers riment entre eux par la césure :

> Ci-gît la fl**eur** / de royal par**entage**
> L'arbre d'honn**eur**, / de vertus le pl**antage**
> (Jean Molinet).

— **Rime couronnée :** répétition d'une ou plusieurs syllabes de la rime :

> Dieu tout puissant, princc **d'honneur donneur**,
> Vrai rédempteur, homme seul par**fait fait**
> (Destrées).

— **Rime à double couronne :** répétition d'une ou plusieurs syllabes de la rime et de la césure :

> Moli**net net** / ne rend son ca**non, non**,
> Trop de **vent vend**, / et met nos é**bats bas**
> (Guillaume Cretin).

— **Rime équivoquée :** une mêmc rimc cst réaliséc par dcs mots différents :

> J'ai tel regret de mon **adversité**,
> Que jà mon coeur se rend **à vers cité**
> (Guillaume Cretin).

— **Rime senée :** tous les mots d'un vers commencent par le même phonème que le mot à la rime (cette figure ne repose pas sur la syllabe) :

> Fausse Fortune, fragile, fantastique,
> Folle, fumeuse, folliant, follatique,
> (Jean Bouchet).

Mais chez les Rhétoriqueurs, le travail de la rime est un cas particulier d'un travail plus important qui concerne le vers, la strophe, voire le poème entier. Voici quatre vers du «Trône d'Honneur», de Jean Molinet (1467) :

1. Ciel azuré, région aérine,
2. Auréine splendeur reflamboyant,
3. Phébus, Phébé et toute étoile fine
4. Périsse et fine, et soit mise en ruine.

Des figures de rimes, plus ou moins complètes, sont repérables comme telles : rime fratrisée (1-2), batelée (3-4), senée (3), mais c'est tout un ensemble d'échos phoniques en [f] [s] [i] [e], qui organise ces vers.

Cette attention portée à l'élément phonique du langage souligne un principe de cohésion qui fait du poème un objet linguistique aux multiples relations. Mais surtout, au bout de ces jongleries verbales se profile la question du sens : les échos phoniques créent des attractions sémantiques. A ce titre, la figure majeure de ces recherches est certainement l'*équivoque* : «Qui veut pratiquer la science choisisse plaisants équivoques» (Jean Molinet). Loin de se cantonner à la rime, l'équivoque affecte l'ensemble du poème, elle «embrasse le mot, le vers, la strophe, elle traverse tous les niveaux de structuration du texte, marque de façon indélébile tout ce qui y concourt à la production d'un sens» (Paul Zumthor, «Les grands rhétoriqueurs et le vers»).

5. Interrogations de la Renaissance

Les poètes de La Pléiade vont s'opposer à une pratique de la poésie qui mettait au premier plan les exercices formels, et, tournant le dos aux genres poétiques médiévaux, ils condamnent l'usage du rondeau, de la ballade, du virelai, ces «épiceries qui corrompent le goût de notre langue» (Du Bellay). Seule la chanson sera encore pratiquée, par Ronsard notamment.

La Défense et illustration de la langue française *(1549)*

Manifeste poétique et linguistique tout à la fois, l'oeuvre de Du Bellay illustre la portée du renouveau qui anime alors la poésie française. *La Défense* est un livre théorique et critique, dirigé contre l'héritage marotique d'une poésie divertissement, dont est marqué l'*Art poétique français* de Thomas Sébillet, paru un an avant, en 1548 (Marot et Saint-Gelais y sont nommés «divins poètes»).

Par contraste, Du Bellay insiste sur la fonction communicative de la langue, qui sert à «signifier entre nous les conceptions et intelligences de l'esprit», et sur le rôle de médium affectif du poème : «celui sera véritablement le poète que je cherche en notre langue, qui me fera indigner, apaiser, éjouir, douloir, aimer, haïr, admirer, étonner, bref, qui tiendra la bride de mes affections, me tournant çà et là à son plaisir».

Tenant ensemble théorie de la langue et théorie de la poésie, Du Bellay ne conçoit plus l'écriture du poème comme un exercice linguistique savant, mais comme une pratique créatrice, capable — au même titre que la traduction — d'enrichir le «vulgaire»(la langue commune) : «Ne crains donc, poète futur, d'innover quelques termes».

Les formes du poème

Contribuant à la restauration des idées platoniciennes, commencée en Italie dès la fin du XVe siècle, les poètes de la Pléiade substituent aux modèles poétiques médiévaux, des formes empruntées à l'Antiquité, comme l'*ode,* et à l'Italie, comme le *sonnet.*

• *L'ode :* Ce terme recouvre deux réalités différentes. Originellement, il désigne un poème divisé en trois strophes : strophe, antistrophe, épode, sur le modèle des *Odes* de Pindare (518-438 av. J.-C.). Ronsard suit ce modèle dans les quinze premières pièces du premier livre des *Odes* (1550). D'autre part, ce terme désigne également des poèmes comportant un nombre variable de strophes, dont la première, qui sert de modèle aux suivantes, est de structure libre. Cette forme est illustrée par les dernières pièces du livre des *Odes* de Ronsard.

• *Le sonnet :* Si l'ode était un emprunt à l'Antiquité grecque, le sonnet est né en Italie au cours du XIIIe siècle. Contrairement à l'ode, qui «peut courir par toutes manières de vers librement, voire

en inventer à plaisir» *(Défense)*, le sonnet est un poème à forme
fixe, présentant comme seules variétés plusieurs combinaisons de
rimes. Il se compose de quatorze vers distribués en deux quatrains
et un sizain, organisé lui-même en deux tercets. Dans la forme
classique, les quatrains sont sur deux rimes embrassées (**a b b a**),
les tercets présentant deux schémas possibles :

(**c c d e d e**) ou (**c c d e e d**).

A la recherche d'une théorie du vers

Importateurs et utilisateurs de formes nouvelles, les poètes de la
Renaissance ont été également des théoriciens de la poésie, comme
le montrent leurs recherches sur la nature rythmique du vers.
Etienne Jodelle, Antoine de Baïf, Etienne Pasquier, Nicolas Rapin,
tentèrent des expériences de vers mesurés, sur le modèle des vers
grecs et latins (voir p. 6). Fondées sur une conception erronée de
la langue, ces tentatives échouèrent : dans la phrase française, les
syllabes ne sont pas longues ou brèves par nature, mais relativement aux autres, avec des différences souvent perceptibles par les
seuls appareils d'analyse acoustique.

Sous l'égide de Ronsard et Du Bellay, les poètes s'attachèrent
surtout à fixer et moderniser la métrique syllabique. On retiendra
essentiellement :

• *Le choix privilégié du décasyllabe*, puis de *l'alexandrin*,
comme vers héroïque.

• *Le respect de la césure* à la quatrième syllabe du décasyllabe.
Du Bellay critique «la sentence (…) trop abruptement coupée» de
ce vers de Sébillet : «Sinon que tu / en montres un plus sûr», dont
la césure tombe sur la syllabe atone «tu».

• *Le principe de l'alternance des rimes*, que Ronsard réclame
pour faciliter l'accompagnement musical des poèmes : «Si de
fortune tu as composé les deux premiers vers masculins, tu feras les
deux autres féminins (…) afin que les musiciens les puissent plus
facilement accorder» *(Abrégé de l'art poétique français*, 1565).

Si l'on ajoute une attention particulière à la nature de la rime, et
à l'effet disharmonique de l'hiatus, on a ici la base de la versification
classique.

6. La réglementation classique

Le XVIIe siècle jugera sévèrement les recherches novatrices des poètes de la Pléiade. Pour Fénelon, «Ronsard (...) avait forcé notre langue par des inversions trop hardies et obscures (...) Il y ajoutait trop de mots composés, qui n'étaient point encore introduits dans le commerce de la nation. Il parlait français en grec, malgré les Français mêmes»(1690).

L'écriture du poème sera donc déterminée par deux préoccupations majeures : la mise en ordre et la recherche de la clarté, deux manifestations de la raison. Cette attitude engendrera la formulation de lois d'écriture, et l'imposition de deux dogmes :

1. la poésie est le vers,
2. la poésie s'oppose à la prose.

Cela signifie que la versification est première dans l'écriture du poème, et que le monde du discours est divisé en deux régions autonomes. On se souvient de la leçon du *Bourgeois Gentilhomme* (1670) :

«Tout ce qui n'est point prose est vers, et tout ce qui n'est point vers est prose».

Voici les grandes directions de cette réglementation, telles qu'elles figurent dans le chant I de l'*Art poétique* de Nicolas Boileau (1669-1670)[1] :

— **Primauté de la raison** : Cette loi concerne au premier chef la rime : «Que toujours le bon sens s'accorde avec la rime» (28), «Au joug de la raison, sans peine elle fléchit» (33). Mais au-delà, elle vise la pensée même : «Aimez-donc la raison...» (37).

— **Nécessité de la clarté** : C'est une condamnation de la poésie hermétique, du *trobar clus* (ou style fermé) des troubadours aux poèmes de Maurice Scève. La clarté est en fait une conséquence de la pensée raisonnée : «Ce que l'on conçoit bien s'énonce clairement» (153). Son respect réclame un usage modéré des figures de phrase, et notamment de l'inversion : Fénelon recommande «les inversions les plus douces et les plus voisines de celles que notre langue permet déjà».

---

1. Nous donnons entre parenthèses le numéro des vers

— **Respect des règles de la langue** : «Surtout qu'en vos écrits la langue révérée / Dans vos plus grands excès vous soit toujours sacrée. / En vain vous me frappez d'un son mélodieux, / Si le terme est impropre et le tour vicieux» (155-158). Le poème est conçu comme un conservatoire de la langue — contre Ronsard.

— **Choix d'un lexique noble** : «Quoi que vous écriviez, évitez la bassesse» (79) et «le langage des halles»(84). Cette conception «sociologique» du lexique est contestée dès le XVIIe siècle, par Malherbe, notamment (voir p. 31).

— **Souveraineté du mètre** : L'organisation syntaxique du discours doit respecter la césure et la fin de vers. Ce qui condamne l'usage de l'enjambement : «Ayez pour la cadence une oreille sévère / Que toujours dans vos vers, le sens, coupant les mots, / Suspende l'hémistiche, en marque le repos» (104-106).

— **Recherche d'une harmonisation du vers :** Elle favorise l'euphonie, au détriment de la cacophonie : «Il est un heureux choix de mots harmonieux. / Fuyez des mauvais sons le concours odieux»(109-110). Cette préoccupation conduit à la proscription de l'hiatus : «Gardez qu'une voyelle, à courir trop hâtée, / Ne soit d'une voyelle en son chemin heurtée» (107-108).

Certaines de ces règles, ou certaines de leurs modalités, apparaissent, selon les pratiques des poètes, moins contraignantes que d'autres. Par exemple, si le respect de la frontière d'hémistiche semble une prescription relativement forte — on trouve pourtant chez Racine : «Et c'est moi, qui, du sien / ministre trop fidèle» (*Bajazet*, 1672) —, la fin de vers semble une limite plus faible :

Et concluez.

— Puis donc qu'on nous permet **de prendre Haleine**, et que l'on nous défend de nous étendre
(*Les Plaideurs*, 1668) ;

J'ai perdu, dans la fleur de leur juste saison,
Six frères… Quel espoir d'une illustre maison!
(*Phèdre*, 1677) ;

Mais tout n'est pas détruit, et vous **en laissez vivre Un**… Votre fils, seigneur, me défend de poursuivre.
(*Ibid.*).

Malgré ces exemples, qui restent des exceptions — et sont de surcroît liés à l'écriture de théâtre —, l'ensemble des prescriptions et proscriptions métriques constituera le fondement de la poésie versifiée française jusque dans la seconde moitié du XIXᵉ siècle.

Cependant, parvenu à un degré extrême de formalisation, le poème classique ne pouvait que subir une crise, et voir sa légitimité poétique contestée.

7. La prose poétique au XVIIIᵉ siècle

Après la réglementation classique, la poésie métrique, devenue un objet de langage relativement étriqué, s'enfermait dans l'académisme. Le renouvellement des formes poétiques vint des discours en prose.

Suzanne Bernard, dans son ouvrage *Le Poème en prose,* a rappelé la responsabilité des traductions en prose de poèmes en vers dans le processus de «déversification» de la poésie. L'Abbé Prévost, en 1735, soulignait déjà «le succès d'un certain nombre de Traductions en Prose Poétique qui ont transmis dans notre langue, sans le secours de la Rime, toutes les beautés de la Poésie étrangère». Si la poésie pouvait exister dans la prose, alors l'opposition *prose / poésie* perdait sa pertinence. La traduction de vers métriques en prose non mesurée eut donc pour conséquence de révéler la poésie dont la prose était capable.

L'avènement de la prose poétique sera lié à l'attention particulière, portée par les grammairiens et les théoriciens de la littérature, à la notion de rythme. Se dégageant définitivement de la synonymie qu'elle avait gardée jusqu'au XVIᵉ siècle avec la rime (même orthographe : *Rhythme*), la notion de rythme devenait autonome. Elle désignait, outre la cadence et la mesure, l'ensemble des relations qu'entretiennent l'enchaînement des sonorités et le nombre syllabique avec l'objet représenté ou l'âme de l'écrivain.

L'attention des commentateurs au rythme de la prose coïncidait alors avec l'avènement d'oeuvres particulièrement marquées rythmiquement. A côté de Rousseau, qui se demandait «comment être poète en prose», on citera Chateaubriand, chez qui le rapport entre la prose et le poème fut une préoccupation majeure (voir p. 4). Cette préoccupation se traduit par des phénomènes remarquables, affectant aussi bien le phonème, la syllabe, que la phrase entière. On peut les résumer par quelques exemples empruntés à l'essai de Jean Mourot sur le rythme dans les *Mémoires d' Outre-Tombe*[1] :

Plan de la phrase :

— Distribution en plusieurs segments de même construction syntaxique : «(Cerbère aboie ainsi aux Ombres dans les région) de la mort, / du silence / et de la nuit». On parlera dans cet exemple, de rythme ternaire.

— Distribution en parties selon un ordre croissant ou décroissant des volumes. Dans cet exemple, le rythme est croissant : «On n'entendait (4) que le bruit de nos rames (6) au pied des palais sonores, (7) d'autant plus retentissants qu'ils sont vides (10)».

Plan de la syllabe :

— Succession de segments syntaxiques de même nombre syllabique : «(La lame déroulante) enchaînait ses festons blancs (7) à la rive abandonnée (7)». L'apparition de «vers» caractérisés est un cas particulier de cette propriété : «(... comment nous demandions le bonheur aux palmiers d'Otahiti), aux Bosquets embaumés (6) d'Amboine et de Tidor (6)». On remarquera que ces «vers» ont généralement le schéma de l'alexandrin, repérable isolément à cause peut-être de sa valeur culturelle (voir p. 88), mais surtout du sentiment de mesure que donne sa composition en deux segments syllabiques égaux.

— Distribution des accents syntaxiques selon une périodicité régulière : «(il ne restera qu'une valse triste), composée (3) par lui-même (3) à Schoenbrünn (3) et jouée (3) sur des orgu(es) (3) dans les rues (3) de Paris (3)».

Plan du phonème :

— Répétition de phonèmes «qui jalonnent le déroulement de la phrase ou établissent une correspondance entre ses arêtes» (Mourot) : «(On n'entendait que le bruit de nos rames) au **p**ied des **p**alais sonores, d'au**t**ant plus re**t**en**t**iss**an**ts qu'ils sont vides». La notion de rythme, dans ce cas, se démarque de l'idée de retour régulier des mêmes éléments, pour désigner une organisation particulière de la phrase, liée à la signification (voir p. 108).

---

1. J. MOUROT, *Le Génie d'un style, Chateaubriand, Rythme et sonorités dans les Mémoires d'Outre-Tombe*, 1969.

La «prose poétique», en développant une pratique et une conception du rythme indépendamment de la forme «vers», avait rendu possibles les tentatives des poètes qui, au XIXᵉ siècle, essaieront des rythmes de prose dans leurs poèmes.

8. Le poème libre du XIXᵉ siècle

La prose étant reconnue porteuse d'éléments traditionnellement réservés à la poésie, comme le rythme, le poème pouvait donc n'être pas écrit en vers. C'est au XIXᵉ siècle que la notion de poème se transforme, et qu'avec elle se déplacent les paramètres qui le liaient jusque-là au vers métrique.

Le poème en prose

En 1842 paraît l'oeuvre posthume d'Aloysius Bertrand, *Gaspard de la nuit, fantaisies à la manière de Rembrandt et de Callot*. Son auteur y essayait «un genre de prose tout nouveau», prose rythmique et non prose d'argumentation ou prose descriptive. Bertrand en exprime l'idée par une double métaphore, musicale et picturale : «Là sont consignés divers procédés, nouveaux peut-être, d'harmonie et de couleur».

Chaque poème est constitué de cinq à sept courts paragraphes — quelques uns seulement excèdent ce nombre — séparés par un blanc. Les relations entre ces paragraphes ne sont pas d'ordre logique — bien que s'y lisent parfois les marques d'une trame narrative ou l'esquisse d'une organisation descriptive — mais rhétoriques (anaphores, répétitions, parallélismes), rythmiques, et prosodiques. On trouvera plus loin (p. 49) une étude de la ponctuation dans *Gaspard de la nuit*.

C'est en lisant «pour la vingtième fois au moins» le livre de Bertrand, que Baudelaire a l'idée «d'appliquer à la description de la vie moderne, ou plutôt d'*une* vie moderne et plus abstraite, le procédé qu'il avait appliqué à la peinture de la vie ancienne». Ce qui frappe Baudelaire, ce n'est pas la thématique de *Gaspard*, mais la rythmique du discours. Sur le modèle de cette oeuvre, il souhaite, pour ses *Petits poèmes en prose* (ou *Spleen de Paris*), «le miracle d'une prose poétique, musicale sans rythme et sans rime, assez souple et assez heurtée pour s'adapter aux mouvements lyriques de l'âme, aux ondulations de la rêverie, aux soubresauts de la conscience».

Le vers-libre

Jusqu'aux symbolistes, le poème versifié use d'un vers traditionnel, mais dont la «carrure» métrique s'assouplit progressivement. Déjà chez Victor Hugo, la structure syntaxique entre en conflit avec la structure métrique, notamment par les phénomènes d'enjambement (voir p. 85). A la fin du siècle, le vers canonique, l'alexandrin, se disloque complètement dans des poèmes où le schéma métrique de base (6 + 6) n'est plus sensible, comme chez Verlaine (voir p. 89).

Dans les années 1880, un nouveau type de vers apparaît : le vers-libre. De nature non plus métrique, mais rythmique, il repose sur la succession de groupes accentuels (voir p. 99). Les vers-libristes les plus représentatifs sont Gustave Kahn, Jean Moréas, Jules Laforgue, Albert Mockel, Francis Vielé-Griffin, Emile Verhaeren, Maurice Maeterlinck.

Le vers, devenu libre des prescriptions métriques, menait à un point extrême la pratique de l'enjambement, jusqu'à la désarticulation des syntagmes, et même des mots, comme dans cet extrait du poème de Jarry «Les régularités de la châsse»(1893), repris dans *Les Minutes de sable mémorial* :

La
gondole spectre que hala
la mort sous les pots de pierre en ogive,
illuminant son bord brodé
dé-
rive.

Un nouveau lyrisme

Ces recherches, qui affectent le plan formel du poème, ne sont pas un retour à la pratique des rhétoriqueurs. Les époques étant différentes, la signification des formes poétiques l'est aussi. Ainsi, dans l'extrait du poème de Jarry, la reprise d'une syllabe de fin de vers au début du vers suivant («ha**la** / **la** mort»; «bro**dé** / **dé**-») n'est pas une *rime annexée*.

En fait, le travail formel dont témoignent ces textes est lié à une interrogation majeure sur la présence du sujet, sur son inscription dans le poème. Pour toute une génération qui se reconnaissait dans le *romantisme*, l'essence du lyrisme avait résidé dans l'épanchement du moi et sa communion avec la nature : Madame Bovary récitait «Le lac» de Lamartine au cours d'une promenade en barque avec Léon, son amant. Avec l'avènement du poème en prose et du vers-librisme, la marque lyrique par excellence n'est plus l'émotion, ni la présence du pronom de première personne, mais le *rythme*.

C'est le sens du propos de Baudelaire sur la prose poétique du *Spleen de Paris*, c'est aussi le sens de ces conseils d'Adolphe Retté : «Cherche *ton* rythme aux empires profonds de ton âme (…) Car le rythme, c'est la vie elle-même (…) Il est l'enfant nouveau qui dira ton âme *à toi* et la dira librement, se moquant de la Rime riche et de la Rime rare, du nombre et de la quantité des syllabes» («Le vers libre», 1893).

9. Recherches de la modernité

En dépit de l'extrême diversité des expériences poétiques, on peut tracer les grandes orientations des recherches menées au XXᵉ siècle par des poètes qui ont poussé à l'extrême les tendances amorcées à la fin du siècle précédent.

Le mouvement général va dans le sens d'une libération maximale des contraintes. Si le XIXᵉ siècle s'était surtout employé à libérer le poème de l'autorité du vers métrique, le siècle suivant s'en prend à la logique même du discours, héritée d'Aristote *via* les grammairiens et rhétoriciens médiévaux et classiques.

Continuant le travail amorcé par Mallarmé, Rimbaud, Verlaine, les poètes, dès le début du siècle, remettent en question certains dogmes du discours littéraire :

— **La logique de la représentation :** La théorie surréaliste de la poésie est productrice d'images construites en dehors de la «convenance»logique, comme ces exemples, pris chez Philippe Soupault : «courageux comme un timbre-poste», «toi samedi comme un drapeau», «ma vie est un bouton de nacre» (Voir p. 72).

— **L'univocité syntaxique (la «clarté» classique)** : La non-ponctuation favorise dans la phrase des séquences ambiguës, poussant parfois l'énoncé aux limites de la lisibilité. L'exemple qui suit est extrait d'un poème de Paul Eluard, «Pablo Picasso», (1936) :

> Montrez-moi cet homme de toujours si doux
> Qui disait les doigts font monter la terre
> L'arc en ciel qui se noue le sepent qui roule
> Le miroir de chair où perle un enfant

— **L'intégrité du mot** : Le mot n'est plus considéré comme une totalité sémantique minimale, mais comme un organisme décomposable en ses constituants phoniques ou gaphiques par le jeu de la typographie. Paul Claudel finit un vers sur un mot coupé, soit en fonction de l'articulation syllabique, sur le modèle du poème de Jarry cité ci-dessus :

> Je t'écoute en tremblant! Co-
> — mment cela est-il possible ?
> (*Tête d'or,* II, 1ère version),

soit en fonction de l'articulation des phonèmes, comme dans l'extrait cité p. 112. Claudel explique à ce propos, que si l'on «coupe le mot ailleurs qu'à l'articulation des syllabes, il en résulte une espèce d'hémorragie du sens inclus. Si par exemple au lieu d'écrire : La Clo-che, j'écris la C-loche».

Chez d'autres poètes, l'intervention sur les mots peut prendre le sens d'une subversion. Denis Roche travaille à «ramener la production poétique vers son point de plus extrême *méculture,* le point zéro, à l'évidence, de la poéticité» (*Le Mécrit,* Seuil 1972):

> Après " des images mythiques " et Qui ne — *connaisPa*
> S' " *encore* " celui du roi des splendides — Carhaix =
>   hélène non grasse aboutie à Ma langgueO   in
>   " Une tâche de librPoésie " ça jl'enfonc   in
>   mandame et de droite et d'dégoût jusqu'   es
>   où je vais & l'empreinte. trois fois r
>   ien ne m'a jamais bouleversé, ni toi p
>   hrase sans avoir vu écrit sans dis que

— **L'intégrité de la signification** : La recherche de voies poétiques nouvelles donne lieu parfois à des tentatives d'écriture débouchant sur des cas-limites de poèmes, comme dans ces deux extraits :

> Bounjagann, Bounjagann Bourguerga
> Doùdouigazz doudouigazz
> présselva...
> ...présselva

(I. Isou, «Lances rompues pour la dame gothique», *Poèmes graves*, NRF, 1947)

> ta ra ta ta + koum bal koum bal + kim pi ki ta ra ta ta +
> koum bal koum bal + kim pi ki ta ra bal + koum bal kim
> pi ki + ta ra ta ta ta ra ta ta

(G. Pomerand, «Taratata», UR, n° 1,1950)

Ces deux exemples de poésie sonore sont représentatifs du mouvement lettriste, fondé en 1945 par Isidore Isou. Héritières des pratiques dadaïstes et futuristes, ces expériences ont pour objectif de «faire éclater les mots arrachés à leur signification, au bénéfice des phonèmes». La question se pose alors de savoir si, travaillant sur de simples sonorités, elles se situent encore dans le langage.

LECTURES CONSEILLEES

BEC Pierre,
  La Lyrique française au moyen âge, (XIe-XIIIe siècles), Picard,
  1977.

BERNARD Suzanne,
  Le Poème en prose, de Baudelaire jusqu'à nos jours, Nizet, 1959.

BOILEAU Nicolas,
  Art poétique, (1669-1670), Garnier-Flammarion.

CLAUDEL Paul,
  Réflexions sur la poésie, NRF, «Idées», 1963.

DU BELLAY Joachim,
  Défense et illustration de la langue française, (1549), Livre de poche.

LOTE Georges,
  Les Origines du vers français, (1949), Slatkine, 1973.

ROUBAUD Jacques,
  Les Troubadours, Anthologie bilingue, Seghers, 1971.

RYCHNER Jean,
  La Chanson de geste : essai sur l'art épique des jongleurs, Droz-Giard,
  1955.

THOMAS Jean-Jacques,
  La Langue, la poésie : essais sur la poésie française contemporaine,
  Presses Universitaires de Lille, 1989.

ZUMTHOR Paul,
  Essai de poétique médiévale, Le Seuil, 1972 ; «Les grands rhétoriqueurs et le vers», *Langue française* (23), 1974 ; *Anthologie des
  grands rhétoriqueurs*, UGE, «10/18», 1978 ; *Introduction à la
  poésie orale*, Le Seuil, 1983.

Approches méthodiques

1. Comment signifie un poème ?

Beaucoup de poèmes signifient «quelque chose» : l'amour d'un être pour un autre, la revendication d'une liberté perdue, le regret d'un paysage d'enfance. En fait — et banalement pourrait-on dire — toute l'expérience humaine. D'autres poèmes, par contre, ne présentent pas à la lecture un sens immédiat et défini.

Cette distinction, pour rapide qu'elle soit, montre que la production d'un sens logique n'est pas une préoccupation majeure chez tous les poètes. En conséquence, orienter l'explication d'un poème vers la recherche d'un sens cohérent présente le risque de l'interprétation arbitraire — quand cela n'aboutit pas à l'exclusion des poèmes «dépourvus de sens». Chaque poème a en effet sa spécificité, sa manière de «dire». Et c'est cette spécificité que l'analyse a pour fin de mettre au jour. Importe moins *ce qui* est dit, que *comment* c'est dit.

Mettre l'accent sur le «comment c'est dit» n'exclut pas la prise en compte de «ce qui est dit», mais reconnaît qu'on peut «dire» sans avoir quelque chose à dire. Ce qu'exprime Fernando Pessoa dans une lettre à son ami Sa-Carneiro :

«Je vous écris aujourd'hui poussé par un besoin sentimental — un impérieux désir de vous parler. Il est donc évident que j'ai rien à vous dire» (1916).

Transposé sur le plan de la poésie, cela explique qu'un poème puisse ne pas présenter un sens manifeste sans pour autant cesser de signifier, d'avoir une signification. Plus généralement, l'«obscurité» de certains poèmes non seulement n'est pas un obstacle à leur analyse, mais est un faux problème en regard de ce qui fait la singularité d'une œuvre.

Pas davantage qu'un mot ne signifie en dehors de son contexte d'utilisation, la signification d'un poème ne peut s'envisager en dehors de sa *situation d' énonciation*. On entend par cette notion la synthèse de tous les paramètres qui font d'un discours un acte unique — et donc historique — de langage, produit à un moment particulier, dans une circonstance particulière.

Les relations multiples qui unissent un poème à sa situation d'écriture, et qui sont inscrites comme formes dans ce poème, en constituent la *valeur*. L'objectif d'un commentaire de poème consistera donc à rendre compte non pas d'un «sens» hypothétique, mais d'une *valeur*, notion permettant l'étude de tous les discours, même de ceux qui «n'ont pas de sens».

En ouverture de *Lanterne magique* (1944), Léon-Paul Fargue écrit : «Il n'y a pas de sujets. Il n'y a qu'un sujet : celui qui écrit». Ce propos, qui joue sur le mot «sujet», signifie que les *sujets,* les thèmes sur lesquels on écrit, ne sont pas essentiels. Il n'y a de valeur d'un poème que parce qu'il est produit par un *sujet* humain, singulier, historique, qui fait de ce poème un acte de langage unique, spécifique. On a vu (p. 4) que le «poème» se présentait comme un discours où le sujet s'engage — au maximum — dans la recherche de ce qui fait de lui un être de signification. C'est pour cette raison que le poème a pu être le lieu privilégié de l'émotion, manifestation historique du sujet.

C'est pourquoi l'analyse du poème doit partir de l'idée qu'un poème est d'abord un *discours,* c'est-à-dire un acte de langage réalisé par un sujet en s'appropriant la langue commune. C'est ce réemploi individuel d'un matériau linguistique commun qui constitue l'énonciation, et qui fonde la valeur d'un poème.

En ce sens, il n'y a pas de «langue poétique» particulière. C'est une pratique particulière de la poésie, issue du classicisme, qui a donné à penser qu'il existait par exemple un lexique propre à la poésie. Encore au début du siècle, on donnait des listes de mots réservés à l'écriture poétique : cieux (remplaçant ciel), courroux (colère), coursier (cheval), flanc (ventre), forfait (crime), gorge (sein), hymen (mariage), jadis (autrefois), labeur (travail), mortels (hommes), poudre (poussière), repentance (repentir), sein (poitrine), trépas (mort), vaisseau (bateau), etc.

Mais cette idée, sortie de son contexte historique et hissée au rang de vérité générale, représente une caricature de la poésie. Du Bellay désignait la poésie comme un carrefour lexical, et recommandait l'usage des vieux mots, des mots savants, et la création de néologismes. Malherbe, interrogé sur l'usage lexical, renvoyait «aux crocheteurs du Port-au-Foin». Au début du XIXe siècle, Victor Hugo mettait «un bonnet rouge au vieux dictionnaire», et nommait «le cochon par son nom». Baudelaire, ensuite, faisait cohabiter mots «de poésie» et mots de tous les jours : «Ta gorge triomphante est une belle armoire».

De la même façon qu'il n'y a pas de lexique «poétique», il n'y a pas non plus d'indice personnel réservé à la poésie. Le lyrisme ne s'exprime pas «naturellement» par le pronom *je*. Encore moins «la poésie». La subjectivité est partout dans un poème, c'est toujours un «je» qui parle, et qui apparaît autant par le pronom *je* que par une manière singulière de construire un complément verbal. Chez Léon-Paul Fargue, l'utilisation d'un verbe plein comme auxiliaire modal — «Qu'on aille se pencher / Boire», «un parti de folioles traînait s'enfuir», «elle roule se creuser» — est une marque de subjectivité à part entière.

Pas de lexique poétique, donc, ni de personne poétique. Pas de syntaxe poétique non plus. L'inversion dans la poésie classique — « Et que **de tes vertus le portrait sans égal** / S'achève de ma main sur son original» (Corneille) — est une conséquence historique du vers rimé.

En conséquence, il n'y a pas d'élément linguistique qui soit propre au discours poétique. L'analyse du poème devra donc envisager toutes les unités de langage qui le constituent : phonème, syllabe, lexique, syntaxe... L'analyse du poème est d'abord une analyse de discours.

Cependant, certains de ces éléments ont joué un rôle plus important que d'autres dans l'histoire des formes poétiques, cha-cun ayant constitué, à un moment donné de l'histoire du poème, la représentation même de la poésie. Ce sont ces éléments que nous étudierons exclusivement dans le présent ouvrage — sans nous interdire, bien entendu, de faire appel à d'autres éléments, dans le cadre notamment des commentaires.

Le fait qu'un poème soit un discours — donc un système linguistique — implique que tous les éléments qui le composent entretiennent les uns avec les autres des rapports plus ou moins étroits. C'est pourquoi, bien que leur étude nécessite de les distinguer, il sera nécessaire de les mettre en relation, par des renvois entre les différentes sections de l'ouvrage.

II. Les phonèmes

Peut-être plus que d'autres composantes du poème, le signifiant phonétique donne prise à des analyses confuses, associant technicité linguistique et subjectivité impressionniste. L'idée essentielle qui préside à l'étude du phonème reste la règle majeure en analyse du discours poétique : ne pas dissocier forme et signification. Ce point de départ peut paraître évident, mais remet en question les commentaires fondés sur la seule «musicalité» du texte. Avant d'en venir à l'analyse proprement dite, il convient, préalablement, d'étudier la nature du phonème.

1. Nature du phonème

Le propos de Rousseau mis ici en exergue — «On écrit les voix et non pas les sons» — rappelle une réalité dont la connaissance est indispensable pour une étude du matériau phonique. La confusion entre le son et le phonème a en effet pour conséquence une conception du langage, dans laquelle le signifiant — l'image acoustique : [arbr] — et le signifié — le concept, la notion d'«arbre» — se trouvent irrémédiablement séparés, alors que, Ferdinand de Saussure l'avait montré, les deux composantes du signe linguistique sont indissociables.

Dans la langue, la fonction du phonème consiste à distinguer les uns des autres des groupes porteurs de signification, les *morphèmes*.

Ainsi, les phonèmes [k] et [g] opposent entre eux les groupes [ku] et [gu], images acoustiques des morphèmes «cou» et «goût».

Mais cette distinction a fait oublier que si le phonème, en soi, ne signifie en effet rien, il ne peut être dissocié du processus global de la signification d'un discours sans perdre sa nature même de phonème. Il ne tient en effet sa réalité de composante du langage que d'être l'élément d'une combinatoire productrice de sens, du morphème au discours entier.

Le phonème n'est donc pas une *réalité* acoustique — alors qu'un son est un objet physique continu —, mais une *représentation,* discontinue, de cette réalité, une «image verbale», selon l'expression de Saussure, qui «ne se confond pas avec le son lui-même» *(Cours de linguistique générale).*

C'est d'une telle donnée linguistique qu'il faut partir pour faire la part du mythe et de la valeur poétiques dans l'analyse de cette composante du langage que désignent d'une manière ambiguë les termes de «sonorité» ou de «matériau phonique».

On peut distinguer deux attitudes de commentaire — parfois mêlées — face à la composante phonique du langage : l'une, s'appuyant sur une conception *esthétique* du phonème, cherche à mettre au jour la «musicalité» d'un texte ; l'autre, se situant dans une perspective *sémantique,* tente de décrire le rôle du phonème dans la signification d'un texte.

2. Existe-t-il une musique du poème ?

Parler de la «musique» d'un vers, de son «harmonie», ou de sa «mélodie», est chose si courante qu'on a perdu de vue la nature métaphorique de ces termes. Si bien qu'au lieu d'utiliser le lexique de l'art musical comme un réservoir de notions suggestives et provisoires, on finit par croire qu'il y a véritablement «de la musique» dans les poèmes, voire dans la langue elle-même.

De là le transfert dans le domaine du langage, de catégories qui lui sont, par définition, étrangères, comme l'*euphonie* ou la *cacophonie.* Du classicisme au XXᵉ siècle, c'est le même commentaire qui rapporte le phonème à une métaphysique du beau.

Georges Duhamel et Charles Vildrac pensaient encore, en 1925, qu'«il est des allitérations laides et grossières, cacophoniques» *(Notes sur la technique poétique).* En réalité, un poème n'est pas harmonieux ou inharmonieux en soi, pas plus que ne l'est le langage, ou une langue particulière, en dépit des préjugés.

Les raisons de cette confusion entre langage et musique sont multiples et anciennes. Mais le symbolisme, à la fin du XIXe siècle, a certainement aussi une large part de responsabilité dans l'affaire, du premier vers de l'*Art poétique* de Verlaine : «De la musique avant toute chose», à l'influence de la *Revue wagnérienne,* où écrivirent nombre de poètes symbolistes, en passant par l'«aboli bibelot d'inanité sonore» de Mallarmé.

Cependant, il ne faut pas confondre les propos des poètes, voire les mots d'époque, avec les outils d'analyse du discours poétique. A suivre sans discernement les premiers, on oublierait le poème lui-même. Ainsi, l'expression citée de Mallarmé, qui passe pour la manifestation magistrale de la pure musicalité poétique, possède bel et bien un sens, exprimé par les mots : la vacuité acoustique. Il n'y a «inanité sonore» dans cette suite de phonèmes, que parce que le texte le dit.

Si l'utilisation du lexique musical pour parler de poésie peut permettre d'exprimer une impression, une émotion personnelles proches de l'indicible, son emploi en tant qu'outil d'analyse n'apparaît donc pas pertinent. Les phonèmes, étant des éléments de langage, sont en effet indissociables de la signification des discours qui les contiennent.

3. Phonème et signification

Tradition de la mimesis

Issue de Platon et d'Aristote, la conception mimétique de la poésie attribue au langage poétique la propriété d'imiter soit l'objet nommé, soit le sens signifié par les mots du poème.

La motivation du langage

Le problème de la signification des phonèmes est un élément d'une question plus générale touchant le mode de signifier propre au langage, et qui prend ses racines dans le débat opposant le point de vue de l'arbitraire à celui de la motivation.

La conception «motivante» postule une continuité, de nature analogique, entre le langage et le monde. Nodier explique ainsi que «la forme et le son de la lettre *S* la rendent propre à désigner doublement le serpent, et à peindre en même temps ses mouvements tortueux et ses *sifflements* aigus» (*Dictionnaire des onomatopées,* 1808). Or, Saussure, en comparant les langues, a montré au contraire que cette relation était de nature arbitraire : les signes «boeuf» [bœf] et «Ochs»[Oks] n'ont avec l'animal «boeuf», qu'ils désignent respectivement en français et en allemand, aucune «attache naturelle».

Poussée en dehors de la théorie générale du langage, la conception motivante s'est maintenue dans les commentaires sur la poésie, contribuant à faire du poème un discours spécial. Des poètes caressent, c'est vrai, le rêve d'une poésie consubstantielle au monde, à l'image de Saint-John Perse : «Faisant plus que témoigner ou figurer, elle devient la chose même qu'elle "appréhende", qu'elle évoque ou suscite» (Lettre à la *Berkeley review,* 10 août 1956), faisant revivre ainsi, selon l'expression de Yves Bonnefoy, «une autre époque de l'écriture», un avant du langage : «Nos signes étaient des choses, ils en étaient donc infinis (...) L'écart entre le signe et la chose (...) était donc comblé» (*Une autre époque de l'écriture,* 1988).

Le problème pour l'analyse est que ce mythe de l'origine puisse encore passer pour une vérité du langage. Le poète peut certes «oublier» que les mots sont des signes arbitraires ; mais pas son poème, qui est d'abord du langage. Si le poème est motivé, il l'est d'une autre façon que dans un rapport aux choses : en ce qu'il constitue, par la relation de ses composantes entre elles, un système linguistique original et historique. Que le poète se livre à des effets d'expressivité sonore n'engage que sa propre conception du langage, mais là ne saurait résider la valeur du poème, car le poème, langage vivant, a la faculté de transformer toute programmation.

Sous l'autorité d'un texte célèbre de Mallarmé, *Crise de vers* (1895), la conception motivante de la poésie s'est muée en conception *remotivante,* selon laquelle le mot retrouve, dans et par le poème, le lien originel qui l'unissait à la chose dans un temps mythique où le langage, pur, n'aurait pas encore été spolié par l'usage quotidien. L'écriture poétique, alors, «rémunère le défaut des langues» :

> Mon sens regrette que le discours défaille à exprimer les objets par des touches y répondant en coloris ou en allure, lesquelles existent dans l'instrument de la voix, parmi les langages et quelquefois chez un. A côté d'*ombre,* opaque, *ténèbres* se fonce peu ; quelle déception, devant la perversité conférant à *jour* comme à *nuit,* contradictoirement, des timbres obscur ici, là clair.

Le rêve mallarméen d'une écriture qui soit «une langue suprême» capable de corriger l'apparente contradiction linguistique dotant le mot *nuit* d'une voyelle «claire» [i], et le mot *jour* d'une voyelle «sombre» [u], repose sur une approche symboliste de la langue.

Le symbolisme phonétique

Venant après une longue tradition prescriptive et métaphysique de la poésie, qui avait fini par couper l'écriture du poème de la réalité linguistique vivante, les études de phonétique expérimentale menées par l'abbé Rousselot et ses disciples, à la fin du XIXe siècle, ont eu le mérite de rendre la poésie au langage, en montrant que le phénomène rythmique de l'accentuation est une donnée fondamentale du langage, présente dans le poème, comme dans la parole «ordinaire». Leur travail a marqué une avancée radicale dans la conception de la notion de rythme, qui fut le grand chantier de la fin du XIXe siècle et du début du XXe, notamment en montrant qu'il n'était pas restreint à l'accent de groupe[1].

Cependant, centrant leurs travaux sur la réalité acoustique du langage, ils n'ont pas évité d'appliquer aux phonèmes un symbolisme lié à leur expression sonore. Ainsi, Maurice Grammont classait les phonèmes selon l'expressivité supposée de leur réalisation acoustique. Les voyelles, considérées comme des «notes», étaient regroupées en trois catégories : «les unes sont des notes aiguës, les autres des notes graves, les unes sont des notes claires, les autres des notes sombres, les unes sont voilées, les autres éclatantes» *(Petit traité de versification française).* Selon ce point de vue, leur fonction consiste à exprimer des «bruits» correspondants : «Les voyelles claires servent à peindre un bruit clair, les voyelles éclatantes un bruit éclatant, les voyelles sombres peignent bien un bruit sourd, comme dans le mot *sourd* lui-même».

---

1. Voir *infra,* p. 108, le chapitre sur le rythme.

Cette dernière remarque montre à l'évidence que c'est le mot «sourd», censé *réaliser* sémantiquement la qualité sonore articulatoire de la voyelle [u], qui se trouve en fait à l'origine de l'expressivité supposée du phonème. Cette méthode est ancienne ; elle était déjà, au XVIIIe siècle, au fondement de la conception du langage de la philosophie mécaniste ; chez Ch. de Brosses, notamment : «Sans chercher plus loin, on peut en juger par le mot *rude* et par le mot *doux :* l'un n'est-il pas rude et l'autre doux ?» (*Traité de la formation mécanique des langues*, 1765).

La démarche mimétique opère ainsi dans deux directions : elle considère soit que le phonème mime la chose — c'est le cas de l'onomatopée, élargie à l'interjection : «Les labiales *p, b,* et avec elles les labio-dentales *f, v,* exigeant pour leur prononciation un gonflement des lèvres, sont aptes à exprimer le mépris et le dégoût, comme dans les interjections *fi, pouah*» (M. Grammont) —, soit que le phonème mime le sens — c'est le cas du symbolisme phonétique et de son expression littéraire, *l'harmonie imitative*.

«Traçât-a-pas-tar», ou *l'harmonie imitative*

Issue de la théorie de l'expressivité naturelle des phonèmes — Platon, faisant du phonème [r] «une sorte d'outil pour exprimer toute espèce de mouvement»*(Cratyle),* explique sa présence dans les mots signifiant la translation, par la nécessité de les faire «ressembler» physiquement au sens qu'ils expriment —, l'harmonie imitative est un procédé par lequel une suite de phonèmes est agencée de façon à mimer phoniquement une séquence de l'énoncé d'un poème.

Mais là encore, c'est le signifié qui est premier ; ce qu'exprimait Joseph Joubert : «*Traçât-à-pas-tar,* dans le vers de Boileau. "Traçât à pas tardifs un pénible sillon" : tant il est vrai que le sens fait le son» (*Carnets,* 1808). Il veut dire que l'effet phonique perçu hérite en fait du sens des mots, notamment des adjectifs *tardifs* et *pénible,* lesquels, associés à l'idée de la marche du laboureur, suggèrent l'avancée «pas à pas», le piétinement paraissant alors manifesté au plan du signifiant phonique par l'*assonance* (répétition vocalique) en [a] — tra**ç**â**t à pa**s **t**a**r**(difs) —, par les *allitérations* (répétitions consonantiques) en [t] et [p] — **t**ra**ç**a**t à p**as **t**a**r**(difs) — en [r] — t**r**a**ç**ât à pas ta**r**(difs) —, et par leur combinaison productrice d'échos : **t**ra**ç**â**t à** pas **tar**difs.

Le problème, avec la notion d'harmonie imitative — outre le danger du subjectivisme du regard critique, ou de sa naïveté lui faisant attribuer aux phonèmes un rôle expressif alors qu'ils sont simplement surdéterminés par le sens des mots —, réside dans sa valeur pour l'analyse du poème.

Dans l'hypothèse où l'*intention* imitative serait démontrable, ce ne serait de toute façon pas l'effet *en soi*, dans son expressivité même, qui constituerait une valeur du discours poétique — l'analyse se bornant à la mise en évidence de cet effet —, mais bien l'acte d'écriture ainsi réalisé. C'est en tant qu'*énonciation mimétique,* que l'harmonie imitative signifie, inscrivant dans le poème une attitude du sujet vis-à-vis du langage.

Mais cette analyse repose sur une approche fragmentaire du poème, qui isole un passage «imitatif», méconnaissant ainsi l'ensemble du discours, et sa capacité de contextualiser toutes les unités du langage, dont les séquences phoniques — y compris celles mises au compte de l'harmonie imitative.

Phonème et signifiance

Réduisant le phonème à un simple instrument d'expressivité, la conception mimétique s'avère impuissante à étudier la spécificité du phonème dans l'organisation sémantique d'un poème.

L'analyse devra donc prendre en compte le fonctionnement du phonème dans la *signifiance* du poème, c'est-à-dire sa *capacité spécifique de signifier.*

Homophonie et homonymie

Les mots homophones (constitués par une suite de phonèmes identiques : [vɛr] réalise les lexèmes ver, vers, verre, vert...) sont couramment définis, sous le terme d'*homonymes,* comme des mots «dont la prononciation est identique, mais dont le sens est différent[1]». Cette définition, qui insiste sur la différence sémantique, est pertinente au seul regard de leur situation en langue, c'est-à-dire dans le dictionnaire. Dès qu'ils sont actualisés dans un discours, les mots homophones instaurent entre leurs signifiés des relations diverses qui vont de la simple opposition à la substitution.

Ce phénomène est à la base des calembours. Ainsi, Jacques Prévert réalise, à partir de la séquence phonique des deux villes

---

1. *Grand Larousse de la Langue Française*, article «homonyme».

bibliques «Sodome et Gomorrhe», une autre suite de lexèmes : «Sceaux d'hommes égaux morts» (*La Pluie et le beau temps,* 1955). Etendu à la dimension du vers, le procédé produit des *vers holorimes,* comme ceux-ci, d'Alphonse Allais, qui ne prétendent qu'à la performance[1] : «Par les bois du Djinn, où s'entasse de l'effroi, / Parle et bois du gin ou cent tasses de lait froid.» En son principe, la rime — au même titre que l'assonance (voir p. 8) — est un cas particulier d'homophonie qui, même si elle affecte la seule partie terminale des mots (balançoires - passoires) a tendance à en apparier le sens. Les poètes satiriques en ont d'ailleurs tiré des effets percutants. Ainsi, dans la *Satire X* de Boileau (1694), la collusion des mots *ordure-parure* et *ficelle-elle,* opérant à la manière de métaphores, transforme en caricature la description d'un couple d'avares : l'habit du mari est fait «De chiffons ramassés dans la plus noire **ordure** / Dont la femme, aux bons jours, composait sa **parure**» (v. 316-317) ; quant à la femme, Boileau décrit «Ses coiffes d'où pendait au bout d'une **ficelle** / Un vieux masque pelé presque aussi hideux qu'**elle**» (v. 321-322). L'association de termes antithétiques (**parure-ordure**) et dévalorisants (**ficelle-elle**), transforme le statut d'une écriture qui, de descriptive, devient polémique et révèle l'écriture de combat qu'avoue Boileau : «Moi, la plume à la main, je gourmande les vices, /... / Des sottises du temps je compose mon fiel. /... / C'est là ce qui fait peur aux Esprits de ce temps, / Qui tout blancs au dehors, sont tout noirs au dedans» (*Discours au Roy,* 1666).

Ces effets de sens et leurs valeurs ne sont pas des remarques ponctuelles portant sur des prélèvements aveugles, mais bien des **figures** du discours, des organisations de mots qui entretiennent un rapport nécessaire avec l'ensemble du poème, participant à sa spécificité de poème satirique.

Cet effet d'attraction sémantique, Boileau l'évoque d'ailleurs à propos du thème de la *rime rebelle,* qui se présente *a priori* comme un *topos* de l'inspiration laborieuse : «Souvent j'ai beau rêver du matin jusqu'au soir : / Quand je veux dire *blanc,* la quinteuse dit *noir. /...* Si je pense exprimer un Auteur sans **défaut,** / La raison dit Virgile, et la rime **Quinault.** » (*Satire II,* 1665, v. 14-22). Mais

---

1. «Ainsi que dans le cochon où tout est bon depuis la queue jusqu'à la tête, dans mes vers, tout est rime, depuis la première syllabe jusqu'à la dernière», présentation de *Sept brefs poèmes* (1896). Le poème cité est le sixième.

ce qui est dit ici est non pas, comme le laisse entendre l'énoncé, que Boileau a l'écriture difficile, mais bien, comme le montre le dispositif de la dernière rime, que l'autonomie sémantique des rimes est une composante de l'énonciation satirique (Quinault, qui rime avec «défaut», était un poète dont Boileau dénonçait la préciosité). La relation entre le plan poétique et le plan éthique apparaît d'ailleurs clairement dans l'usage du couple antithétique *blanc* et *noir,* lequel, à la fois, souligne l'autonomie du système de la rime, et signifie la duplicité morale des «Esprits de ce temps / Qui tout blancs au dehors, sont tout noirs au dedans».

La rime entre bien dans un rapport de créativité avec la significa-tion du poème, ce que percevait Malherbe, qui «s'étudiait fort à chercher des rimes rares et stériles, sur la croyance qu'il avait qu'elles lui faisaient *produire quelques nouvelles pensées*[1]». Cette dimension créative se lit implicitement dans l'usage de la rime équivoquée, procédé consistant en la reprise de la totalité phonique d'un ou de plusieurs mots par un ou plusieurs mots différents, comme dans ces vers de Du Bellay : «La nature… / Vous fit naistre (Madame) aveques ce **grand heur,** / Et ce qui accompagne une telle **grandeur,** / Ce sont souvent des dons…» (*Les Regrets,* 1558). Il y a dans l'usage de la rime équivoquée l'idée, maximale dans le vers holorime, d'un sens sous le sens, le sentiment qu'en disant une chose, on puisse en dire une autre.

Les pseudo-étymologies

Cette tendance qu'ont les mots homophones, ou partiellement homophones, de s'attirer mutuellement peut créer parfois le sen-timent d'une parenté philologique, par laquelle le poème, mimant alors la réfection étymologique, provoque le regroupement sé-mantique de vocables n'ayant entre eux aucun lien historique. Ainsi, chez Saint-John Perse, les mots *antiphonaire* — livre d'église — et *typhons :* «Et toi, Poète (…), chante à l'an**tiphon**aire des **typhons**» (*Vents,* I, 6, 1946).

Le processus ressortit à la paronomase, surtout quand les mots ont le même nombre de syllabes : «sous ses voiles **déliés** (…) la

---

1. RACAN, dans : *Œuvres poétiques de Malherbe, précédées de sa vie par le marquis de Racan,* («Rimes stériles» : réalisées par un petit nombre de mots, comme la rime [ips], actualisable dans les mots français *apocalypse, éclipse, ellipse,* et *gypse*).

grande aube **délienne**» (*Amers*, «Strophe», II, 1957). Le fait qu'on puisse en ce cas parler de fausse ou de pseudo-étymologie, plutôt que de simple attraction sémantique, tient au système entier du discours, qui, comme celui de Saint-John Perse, fait de la réactualisation étymologique une valeur de son écriture. C'est parce que la poésie de Saint-John Perse décline volontiers les familles étymologiques, que sur le modèle des mots *semeuses* et *semences*—«O **Semeuses** de spores, de **semences**» (*Exil*, «Pluies», IV, 1944) —, les mots *ensemencés* (de «semence») et *semoncées* (de «semonce») peuvent produire l'illusion d'une parenté sémantique : «**ensemencés** d'éclairs et **semoncés** d'orages» (*Amers*, «Strophe», III). Les pseudo-étymologies, qui sont des cas particuliers d'attraction sémantique, confèrent une sorte de vérité philologique à un effet sémantique produit par un discours particulier.

La paronomase

Si, grâce aux rimes, les fins de vers apparaissent comme une position privilégiée de l'attraction sémantique, cette propriété s'étend aussi aux autres lieux du poème, que celui-ci soit versifié ou non. Simplement, les suites entièrement homophones étant moins fréquentes quand elles ne sont pas sollicitées par le système de la rime, ce sont des suites partiellement homophones qui établissent généralement, par-dessus l'énoncé du poème —*ce qui est dit* — des chaînes de signification.

L'homophonie restreinte, est donc productrice d'effets de signification classés par la rhétorique sous la figure de la *paronomase*, que Fontanier définit ainsi : «La paronomase (...) réunit dans la même phrase des mots dont le son est à-peu-près le même, mais le sens tout-à-fait différent» (*Les Figures du discours*), donnant comme exemple : «Il a compromis son **bonheur**, mais non pas son **honneur**». Un cas remarquable de paronomase est la figure obtenue par *métagramme*. Elle consiste dans le passage d'un mot à un autre par permutation d'un phonème, comme dans cet extrait de *Vents* (III, 6), de Saint-John Perse, qui présente un double chassé-croisé (vin / lin, vrai / frais) : «Le **vin** nouveau n'est pas plus **vrai**, le **lin** nouveau n'est pas plus **frais**».

Le point de vue de la rhétorique, étant celui de la *figure*, ou disposition remarquable de mots — dans l'exemple de Fontanier, *bonheur* et *honneur* sont mis en relation par le balancement syntaxique et la mise en attelage des deux propositions coordon-nées[1] —, restreint la portée du fonctionnement *sémantique* propre à la paronomase, et que Jakobson résumait ainsi : «la similitude phonologique est sentie comme une parenté sémantique».

En réalité, la paronomase est un cas particulier du principe général d'attraction sémantique qui affecte les mots comportant des phonèmes communs. Ce principe est un fonctionnement continu du discours, par lequel toute séquence de mots est suscep-tible d'entrer en composition sémantique avec d'autres, sans que le critère de proximité soit particulièrement déterminant, la pertinence du rapprochement des mots reposant sur l'analyse du discours en son entier.

Analysons de ce point de vue la valeur des reprises phoniques dans le vers fameux de Racine : «Pour qui sont ces serpents qui sifflent sur vos têtes ?», considéré traditionnellement comme emblématique de l'harmonie imitative[2].

Ce vers d'*Andromaque* (1667) n'épuise pas sa valeur dans une hypothétique expressivité sonore mimant le sifflement des ser-pents, mais concentre, à un moment crucial de la pièce, plusieurs thèmes essentiels. Sans produire ici une analyse de la tragédie de Racine, on peut au moins souligner la contiguïté qu'elle instaure entre trois termes capitaux que leur phonétisme appelle : les *serpents,* le *sang* et les *serments.*

Les *serpents* qu'Oreste voit s'agiter, à la fin du drame, sur les têtes des Furies vengeresses sont à la fois :

• le souvenir de l'incitation d'Oreste au meurtre d'Astyanax par Pyrrhus : craignez «que dans votre sein ce **serpent** élevé / Ne vous

---

1. *Attelage* ou *zeugme* : Figure grammaticale de la catégorie de l'ellipse, qui consiste à rattacher plusieurs compléments au même verbe, quand sa répétition serait attendue. Ici, c'est le verbe «compromettre», dont on économise la reprise : «il a compromis son bonheur, mais (il n'a) pas (compromis) son honneur».

2. Un présentateur de télévision le citait récemment sous cette forme : *«Où sont ces serpents qui sifflent sur nos têtes ?, mutilant la syntaxe de cet alexandrin transformé en hendécasyllabe. En ne gardant intacte que la suite «sont ces serpents qui sifflent sur», c'est bien un effet local qui est visé, le fragment de Racine perdant toute relation avec l'ensemble d'un discours qui, pourtant, lui donne seul sa valeur.

punisse un jour de l'avoir conservé» (I, 2, v. 168-169) — incitation soutenue par le phonétisme des mots **sein, ser**pents, **pun**isse, **conser**vé,

• la manifestation mythologique de tous les *serments* rompus dans la pièce : à la scène 5 de l'acte IV, Hermione rappelle à Pyrrhus que «Ces Dieux, ces justes Dieux n'auront pas oublié / Que les mêmes **serments** avec moi t'ont lié» (v. 1383-1384) — avec l'allitération en **s** des mots **ces, ces** justes, serments,

• l'évocation de la mort, qui plane sur le drame depuis l'annonce de l'exécution prochaine d'Astyanax, à la fois imminente et sans cesse différée, au rythme des serments rompus et renoués entre les protagonistes, jusqu'aux «ruisseaux de **sang**» finals (v. 1628), marqués eux aussi par l'allitération en **s**.

Il faut remarquer que là encore, les divers plans du poème sont solidaires, chacun de ces trois mots-thèmes ayant dans la pièce au moins une occurrence occupant la position forte de l'hémistiche, qui les apparie à la façon d'une rime : «Pour qui sont ces **serpents** /qui sifflent sur vos têtes ?», «Pour qui coule le **sang** / que je viens de *répandre* ?» (v. 1566), «Quoi! *sans* que ni **serment** / ni devoir vous retienne» (v. 1317) — noter que, dans le deuxième exemple, *sang* se trouve lié phoniquement au verbe *répandre,* avec lequel il constitue un raccourci du drame, et que, dans le troisième exemple, *serment* se soutient de *sans,* homophone du mot *sang.*

Ainsi, et malgré l'aspect réducteur de l'analyse, peut se lire, à travers la chaîne phonique étudiée, l'enjeu dramatique d'une pièce dont le ressort est la menace, symbolisée par la figure du serpent, ouvrant (v. 168) et fermant (v. 1638) le drame. Le personnage d'Oreste, qui prend en charge, victime expiatoire, les serments violés au cours de la pièce, réalise phoniquement, par l'énonciation du vers célèbre, la signification de la tragédie.

L'anagramme

Autre figure de la relation entre le sens et le phonème, l'anagramme consiste en la recomposition d'un mot par l'association de plusieurs lettres ou phonèmes disséminés dans un texte. Il se rapproche du poème *acrostiche,* dont les lettres initiales des vers, lues verticalement, composent un nom propre. Ainsi, «Infinitif», poème de Robert Desnos (*Corps et biens,* Gallimard, 1930), présente la particularité d'être doublement acrostiche : les lettres

initiales de vers reconstituent le prénom et le nom d'*Yvonne George,*
et les lettres finales, ceux de *Robert Desnos :*

Y	Y mourir, ô belle flammèche y mourir	R
V	voir les nuages fondre comme la neige et l'écho	O
O	origines du soleil et du blanc pauvres comme Job	B
N	ne pas mourir encore et voir durer l'ombre	E
N	naître avec le feu et ne pas mourir	R
E	étreindre et embrasser amour fugace le ciel mat	T
G	gagner les hauteurs abandonner le bord	D
E	et qui sait découvrir ce que j'aime	E
O	omettre de transmettre mon nom aux années	S
R	rire aux heures orageuses dormir au pied d'un pin	N
G	grâce aux étoiles semblables à un numéro	O
E	et mourir ce que j'aime au bord des flammes.	S

Comme les vers acrostiches, l'anagramme était un jeu littéraire,
un procédé d'écriture dont Ronsard a donné l'illustration et l'explication du mécanisme, dans un poème de séduction (1556) :
«Marie, qui voudrait votre nom retourner, / Il trouverait aimer :
aimez-moi donc Marie». Le nom de *Marie* étant constitué des mêmes
lettres que l'infinitif *aimer,* Ronsard sous-entend que Marie, déterminée en quelque sorte par un destin philologique, ne peut que
(l') aimer : «aimez-moi *donc* Marie».

Mais la publication par Jean Starobinski, en 1964, des *Cahiers*
d'anagrammes de Ferdinand de Saussure (1906-1910) fait passer
l'anagramme du statut de procédé littéraire à celui de processus
d'écriture. Parti de l'idée que l'essentiel de la poésie saturnienne
consistait à composer des vers réalisant plusieurs anagrammes
d'un mot thème — un nom propre, généralement —, Saussure
s'était vite trouvé débordé par un «phénomène (…) absolument
total». «Tout se répond, écrivait-il, d'une manière ou d'une autre
dans les vers», «tout se touche et on ne sait où s'arrêter».

Au cours de sa recherche, il avait eu l'intuition qu'un discours
est un système dont toutes les éléments — en premier lieu l'unité
minimale du phonème — participent à la signification globale en
dehors du mode logique de la proposition. Ces conclusions, qui
rejoignent les considérations développées à propos de la
paronomase, débordaient le problème restreint de l'anagramme.

En effet, «trouver» des anagrammes dans un texte prouve
simplement que tout discours, étant réalisé par la combinaison
d'un nombre fini de phonèmes, offre une probabilité élevée

d'anagrammes potentiels, ceux-ci se rattachant *ou non* au sémantisme de ce discours. Ce qu'illustrera, dans les années soixante, l'engouement de la critique structuraliste pour la recherche des mots dissimulés sous les mots, l'anagramme apparaissant alors le modèle idéal d'une production du sens non assujettie à la logique de l'énoncé.

L'analyse du poème devra donc utiliser avec circonspection la notion d'anagramme. L'usage du terme pour désigner un fonctionnement de l'écriture est assez délicat, présentant, outre le danger de l'arbitraire, l'inconvénient de sous-entendre que l'objectif d'un discours consiste dans la production de mots. On réservera donc l'emploi du mot «anagramme» pour désigner la figure repérable en tant que telle, comme dans l'exemple de Ronsard cité plus haut.

APPLICATIONS PRATIQUES

1. Agrippa d'Aubigné était attentif aux relations entre le poème et sa situation d'écriture. C'est dans cet esprit qu'il entreprend son grand poème des *Tragiques* (1616) : «Ce temps autre en ses mœurs exige un autre style (Livre II)». Voici un extrait du premier livre :

> Que ceux qui ont fermé les yeux à nos miseres,
> Que ceux qui n'ont point eu d'oreille à nos prieres,
> De coeur pour secourir, mais bien pour tourmenter,
> Point de main pour donner, mais bien pour nous oster,
>
> Trouvent tes yeux fermez à juger leurs miseres ;
> Ton oreille soit sourde en oyant leurs prieres ;
> Ton sein ferré soit clos aux pitiez, aux pardons ;
> Ta main seche, sterile aux bienfaicts & aux dons.

Dans ce passage de la prière finale à Dieu, montrer comment les répétitions de mots et les divers échos phoniques participent à la tension de cette écriture régie par le principe de l'antithèse.

2. Etude des répétitions phoniques dans ce début du poème de Verhaeren, «La ville», extrait des *Campagnes hallucinées* (1893) :

> La ville
> 1. Tous les chemins vont vers la ville.
> 2. Du fond des brumes,
> 3. Avec tous ses étages en voyage
> 4. Jusques au ciel, vers de plus hauts étages,
> 5. Comme d'un rêve, elle s'exhume.

6. Là-bas,
7. Ce sont des ponts musclés de fer,
8. Lancés, par bonds, à travers l'air ;
9. Ce sont des blocs et des colonnes
10. Que décorent Sphinx et Gorgones ;
11. Ce sont des tours sur des faubourgs ;
12. Ce sont des millions de toits
13. Dressant au ciel leurs angles droits :
14. C'est la ville tentaculaire,
15. Debout,
16. Au bout des plaines et des domaines...

Relever dans chaque groupe de vers les assonances, les allitérations, et généralement les phénomènes d'échos phoniques, tant à la rime qu'à l'intérieur des vers.

Analyser les relations sémantiques qui s'instaurent entre les mots ainsi regroupés en réseaux signifiants. On pourra comparer de ce point de vue les vers 3 et 4 avec leur variante d'une édition de 1904 : «Là-bas, avec tous ses étages / Et ses grands escaliers, et leurs voyages».

Montrer comment ces chaînes phoniques et lexicales sont ici l'élément majeur d'une poétique de la ville. On rapprochera le v. 14, du titre du second recueil de Verhaeren : *Les Villes tentaculaires* (1895).

LECTURES CONSEILLEES

BEVENISTE Emile,
  Problèmes de linguistique générale, «Nature du signe linguistique», T. 1, Gallimard, 1966.

JAKOBSON Roman,
  Essais de linguistique générale, «Linguistique et poétique », Minuit, 1963.

SAUSSURE Ferdinand de,
  Cours de linguistique générale, « Objet de la linguistique : Place de la langue dans les faits de langage», «Nature du signe linguistique : L'arbitraire du signe», Payot, 1972.

III. Ponctuation et typographie

> L'imprimerie a donné la littérature des yeux,
> les anciens ne connaissaient guère que celle
> des oreilles.
>
> A. de Vigny, *Journal*, 1839.

La disposition d'un texte sur une page, l'unité ou la variété des caractères typographiques qui le composent, la manière dont les groupes de mots sont distribués dans les phrases, tout cela fait de la page imprimée un spectacle où le poème met en scène sa spécificité d'objet de langage.

C'est certainement la composante graphique du poème, constituée par la ponctuation et la typographie, dont les innovations apparaissent le plus suspectes, s'attirant une présomption de gratuité ; alors que là encore, c'est la capacité d'actualisation du poème qui est en jeu : sa modernité. Apollinaire affirmait que «les recherches paraissent absurdes à ceux qui se contentent de suivre les routes tracées» (Lettre à André Billy, 1918).

1. La ponctuation

La ponctuation est, à l'instar des lettres — ou graphèmes —, un moyen pour représenter le discours sous une forme écrite. Alors que les lettres matérialisent la partie *segmentale* — articulée — du langage, la ponctuation en transcrit la dimension *suprasegmentale*, c'est-à-dire tout ce qui, dans le langage, n'est pas articulé, mais participe à la signification des discours : essentiellement l'intonation et les pauses de la voix. Regrettant l'insuffisance des moyens propres à rendre, par l'écriture, toutes les inflexions du discours oral, J.-J. Rousseau pensait que «le meilleur de ces moyens (…) serait la ponctuation, si on l'eût laissée moins imparfaite. Pourquoi, par exemple, n'avons-nous pas de point vocatif ? (…) Comment distinguer par écrit un homme qu'on nomme d'un homme qu'on appelle ? (…) La même équivoque se trouve dans l'ironie, quand l'accent ne la fait pas sentir» *(Essai sur l'origine des langues).*

Mais cette double valeur de la ponctuation — qui fondait, chez J. Damourette, sa répartition en deux types de signes : les signes pausaux (virgule, point, point-virgule) et les signes mélodiques (les autres) — ne suffit pas pour analyser la fonction d'une composante essentielle du discours. D'autant que «les signes de ponctuation ont tous, en tant qu'ils sont placés auprès des membres de phrases, une valeur à la fois pausale et mélodique» *(Traité moderne de ponctuation,* 1939).

La fonction de ces marques, qui mettent littéralement la voix dans l'écriture, oscille entre la démarcation syntaxique des groupes logiques et l'inscription du rythme énonciatif propre au sujet, la synthèse de ces deux registres faisant la valeur d'une ponctuation. Que les signes soient pausaux ou intonatifs, la manière dont ils organisent un discours en unités logiques ou non — dans cette phrase de Huysmans, une virgule disjoint de son verbe un groupe nominal sujet : «Quoi qu'il fît, *la hantise du XVIIIe siècle, l'obséda*» *(A rebours,* 1884) — participe de sa spécificité[1].

Historiquement, les théories de la ponctuation ont évolué vers la radicalisation du point de vue logicien. Au XVIIIe siècle, les grammairiens favorisaient la perspective subjective : «La plupart du temps chaque auteur se fait son système sur cela ; et le système de plusieurs, c'est de n'en point avoir» (C. Buffier, *Grammaire française sur un plan nouveau,* 1709). Inversement, le XIXe siècle donne la priorité à la fonction logique, et utilise la ponctuation pour distinguer les éléments de la proposition. Autrement dit, c'est la

_____

1. C'est pourquoi on ne peut que regretter la légèreté avec laquelle la ponctuation se trouve souvent traitée dans l'édition des textes. Ainsi, l'édition d'*A rebours* par l'Imprimerie nationale (1981) précise : «nous avons corrigé la ponctuation, parfois aberrante, lorsqu'elle pouvait entraîner une gêne pour le lecteur».

perspective logico-syntaxique qui alors prime la pratique empirique individuelle du langage. Les théories cependant ne font pas les œuvres. Plus exactement, les œuvres ont le pouvoir de déplacer les perspectives théoriques, ou du moins d'en souligner les limites ; ainsi, telle ponctuation, qui propose une distribution particulière des groupes de mots, peut paraître «aberrante» aux regards d'une théorie figée. C'est pourquoi toute étude de ponctuation doit être rapportée au système entier de l'oeuvre.

La ponctuation du discours : Aloysius Bertrand

C'est dans cette perspective qu'on se propose d'analyser la ponctuation dans le poème en prose d'Aloysius Bertrand, et particulièrement l'emploi du tiret (—), signe nouveau en ce début du XIXe siècle, au succès duquel cette oeuvre — avec d'autres, comme celle de Vigny ou de Musset — a certainement contribué, et qu'on retrouvera dans les poèmes de Baudelaire, Nerval, Mallarmé ou Rimbaud.

> — «Une heure!» — «Il bise dru!» — «Savez-vous, mes chats-huants, ce qui fait la lune si claire ?» — «Non!» — «Les cornes de cocu qu'on y brûle» (*Gaspard de la nuit,* «Les gueux de nuit», 1841).

> Il était nuit. Ce furent d'abord, — ainsi j'ai vu, ainsi je raconte, — une abbaye aux murailles lézardées par la lune, — une forêt percée de sentiers tortueux, — et le Morimont grouillant de capes et de chapeaux (*Ibid.,* «Un rêve»).

Dans le premier extrait de poème, l'emploi du tiret pour signaler le changement de locuteur au cours d'un dialogue répond à une convention typographique, aussi n'apparaît-il pas particulièrement marqué. Cependant, la mise en lignes suivies de paroles de locuteurs différents produit un effet de concentration polyphonique, que ne reproduit pas la disposition traditionnelle des dialogues en alinéas successifs. Pour apprécier l'effet de concentration obtenu ici par Bertrand, on peut comparer les six alinéas «polyphoniques» des «Gueux de nuit», à la deuxième section du poème «Les grandes compagnies», constituée de quatorze répliques disposées chacune sur une ligne différente. On retrouvera ce mode d'écriture dans les poèmes-conversations de Guillaume Apollinaire, comme dans «Les femmes» (*Alcools,* 1913), dont voici la sixième strophe :

> — Encore un peu de café Lenchen s'il-te-plaît
> — Lotte es-tu triste O petit coeur — Je crois qu'elle aime
> — Dieu garde — Pour ma part je n'aime que moi-même
> — Chut A présent grand-mère dit son chapelet

Dans le second extrait, la fonction des tirets est apparemment plus complexe : si l'on considère les deux premiers indépendamment des suivants, leur rôle semble consister à renforcer l'incise syntaxique «… d'abord, — ainsi j'ai vu, ainsi je raconte, — une abbaye…». Mais même dans ce cas, ils ne se substituent pas aux virgules, dont ils doublent en quelque sorte la fonction de démarcation logique par une valeur pausale spécifique. C'est d'ailleurs la plupart du temps dans cette situation de fausse redondance qu'apparaît le tiret chez Bertrand, comme le montrent les deux occurrences suivantes : «… par la lune, — une forêt…», «… tortueux, — et le Morimont…». En réalité, le statut du tiret ne se confond pas chez lui avec le rôle logico-syntaxique des virgules, et ne fonctionne pas en couple sur le modèle des parenthèses. Dans la poésie d'A. Bertrand, il n'y a qu'un tiret : le tiret ouvrant, sur le modèle du tiret de dialogue.

Que le tiret organise une phrase en plusieurs membres successifs, qu'il en détache le seul début pour un effet d'ouverture : «Là! — c'est là devant ce prie-Dieu…» («Mon bisaïeul»), ou la seule fin pour un effet de clausule : «… ce ducat d'or que je tire de ma ringrave[1], — chaud d'un pet.» («Le capitaine Lazare»), la double valeur de pause et de suspension qui s'attache à son emploi est en fait la conséquence de sa fonction d'annonce, d'attaque énonciative, productive d'une accentuation en initiale de groupe, parfois appuyée d'un *et* de relance :

> «… ces deux lévriers se livrent bataille! » — Ět il y alla.
> («Messire Jean»).

Cette fonction rythmique d'ouverture explique qu'un tiret puisse doubler un point, qui est une marque fermante : «Mais c'était toujours la lune, la lune qui se couchait. — Et Scarbo monnoyait

---

1. Ringrave : haut-de-chausses très ample, attaché par le bas avec plusieurs rubans. (Note de l'éditeur.)

sourdement dans ma cave ducats et florins à coups de balancier»
(«Le fou»). De même, chez Vigny, en fin de vers :

> Vos anges sont jaloux et m'admirent entre eux. —
> Et cependant, Seigneur, je ne suis pas heureux
> («Moïse», *Poèmes antiques et modernes*, 1826).

Si, dans les exemples ci-dessus, le tiret ne contrarie pas l'organisation logico-syntaxique de la phrase, marquée par les signes
usuels de ponctuation, dans d'autres occurrences, il fonctionne à
contre-logique, dissociant des groupes syntaxiques solidaires,
comme un verbe transitif et son complément d'objet : «Oh! que du
moins j'aie pour linceul, lui répondais-je, les yeux rouges d'avoir
tant pleuré, — une feuille du tremble dans laquelle me bercera
l'haleine du lac» («Scarbo»). Dans cet exemple, l'effet de
disjonction du tiret vient s'ajouter à l'intercalation de l'incise («lui
répondais-je... tant pleuré,»), mais, étant seul, il ne la double pas,
comme dans le cas de tirets fermants et ouvrants. Il peut aussi
disjoindre deux éléments à l'intérieur d'un même groupe, comme
un substantif et un adjectif épithète : «Comme ricana le fou, qui
vague chaque nuit, par la cité déserte, un oeil à la lune, et l'autre
— crevé» («Le fou»).

Evoquant ce dernier exemple, Suzanne Bernard suggère avec
raison que le tiret agit dans ce cas «à la façon d'un rejet» *(Le Poème
en prose)*. L'analogie avec le vers n'est pas formelle ; elle situe
l'écriture de *Gaspard de la nuit* dans sa spécificité, qui est le
rapport de la prose à la poésie : «Blanchir, demande-t-il à son
éditeur, comme si le texte était de la poésie», c'est-à-dire comme
si les alinéas «étaient des strophes en vers». Mais il s'agit moins,
en l'occurrence, de mimer une versification, que d'intégrer dans la
prose l'effet pausal de l'alinéa de vers, doublement accentuant
puisqu'il met sous l'accent la dernière syllabe du vers — marquée
phoniquement, de surcroît, par la rime éventuelle — et renforce la
syllabe d'attaque du vers suivant, que la tradition marque
graphiquement par une lettre majuscule initiale.

Cette préoccupation rend A. Bertrand plus proche de la poésie
populaire que de la poésie savante, par l'attention portée non pas
au nombre syllabique, mais aux phénomènes d'intonation. L'usage
du tiret situe cette poésie dans le registre de l'oralité, par ce souci
d'inscrire la voix dans le poème, avec ses attaques, sa façon, pour
un sujet, de prendre la parole, de s'individualiser dans son rythme.
Il n'est pas indifférent à ce titre que Bertrand nomme «couplets»

les alinéas successifs : «*chaque pièce* est divisée en *quatre, cinq, six* et *sept alinéas ou couplets*» *(ibid.).* Les poèmes en prose de *Gaspard de la nuit* sont proches alors de la chanson populaire, de la ballade, et on pourrait leur appliquer ce que dit Nerval des *Chansons et légendes du Valois* : «Quelle poésie sombre en ces lignes qui sont à peine des vers!».

Ce travail du tiret dans la rythmique du poème de Bertrand n'est sans doute pas étranger — avec d'autres — à la définition de la notion dans la seconde moitié du XIXe siècle. Ainsi, B. Jullien, dans ses *Eléments matériels du français,* après avoir rappelé l'emploi dialogique du tiret, en souligne la valeur disjonctive et ouvrante, précisant qu'il «sert aussi pour passer d'une idée à une autre, du sens propre au sens figuré, etc., comme on le fait dans les dictionnaires».

Non-ponctuation, déponctuation

Loin d'être un élément accessoire du discours, la ponctuation en est une composante à part entière, et sa modification décidée par les éditeurs des textes est aussi lourde de conséquences que la suppression de mots ou le remaniement de la syntaxe.

La poésie moderne, qui s'est libérée peu à peu des impératifs logiques de la syntaxe, ponctue peu, et a tendance à favoriser l'alinéa et le blanc, éléments qu'on étudiera plus loin (p. 54). Mais si une tendance générale peut être perçue dans ce domaine, il reste que chaque ponctuation a sa propre valeur.

L'une des oeuvres qui, en ce début de siècle, a montré toute l'importance de la ponctuation dans l'écriture du poème, est celle d'Apollinaire, qui a déponctué ses textes pour les libérer du découpage logique traditionnel de la phrase, et exalter l'organisation rythmique du vers :

> Pour ce qui concerne la ponctuation, je ne l'ai supprimée que parce qu'elle m'a paru inutile et elle l'est en effet, le rythme même et la coupe des vers voilà la véritable ponctuation et il n'en est point besoin d'une autre (Lettre à Henri Martineau).

Effectuée fin 1912 sur les épreuves d'*Alcools,* la suppression des signes de ponctuation est un acte spécifique d'écriture, qui n'a pas le même sens que celui d'une écriture «directement» non-ponctuée, comme celle de Philippe Soupault, pour qui les marques de ponctuation constituaient un obstacle à la représentation du flux des paroles dans l'écriture automatique. Témoignant d'une préoccupation d'époque liée à l'esprit moderne — chez les futuristes, notamment —, Apollinaire, par la déponctuation, libère le poème du modèle logique, *révélant,* de ce fait, un autre mode d'organisation du langage.

La non-ponctuation des textes a une double conséquence. D'une part, exploitant l'ambiguïté de la lecture ainsi privée de points de repère, elle suscite la production d'effets sémantiques particuliers, comme dans cet extrait du poème «Palais» : «On entra dans une salle à manger les narines / Reniflaient une odeur de graisse et de graillon». La suppression de la double marque du point après «manger», et de la majuscule en initiale du groupe «les narines», a pour effet de placer celui-ci en situation de complément d'objet du verbe «manger», et de défaire la locution nominale figée «salle à manger», rendant à l'infinitif toute sa valeur verbale. Cette «méprise» concourt à faire de l'énonciation du poème un principe actif dans l'installation du grotesque et de l'étrangeté issus du «palais de Rosemonde au fond du Rêve», et réalise, à la manière du processus inconscient de la *condensation,* le passage d'une image à une autre, à la faveur d'une «erreur» de lecture suscitée par le poème lui-même.

Le même effet se retrouve dans «Les Colchiques» : «Le colchique couleur de cernes et de lilas / Y fleurit tes yeux sont comme cette fleur-là». Dans la mesure où le poème construit une analogie entre les yeux et les colchiques, la fonction objet du groupe nominal «tes yeux» s'en trouve comme programmée : «le colchique… fleurit tes yeux», et se superpose à la fonction logique de sujet qu'impose la forme verbale «sont» : «tes yeux sont…». Il n'y a pas véritablement «erreur» de lecture, l'ambiguïté faisant partie du mode sémantique analogique de ce texte ; d'autant que l'image se trouve «préparée» par le groupe déterminant qui précède : «Le colchique **couleur de cerne** et de lilas».

La déponctuation correspond chez Apollinaire à la mise en question de l'ordre logique par le discours du poème, repérable sur les brouillons, qui sont ponctués, précise M. Decaudin, «avec la plus grande fantaisie» : « il termine couramment un vers par un point ; en revanche, il n'en met pas toujours à la fin des phrases[1]».

---

1. M. DECAUDIN, *Le Dossier d'Alcools.*

De l'état ponctué des textes à leur état déponctué, c'est le passage d'un ordre du discours à un autre, d'une manière d'écrire à une autre qui s'opère, comme le précise Aragon : « Si vous ne ponctuez pas, vous ne pouvez pas écrire vos vers de la même manière : vous les écrivez de façon à éviter entièrement toute équivoque, ou au contraire parfois pour permettre certains jeux de l'esprit, et faire accepter deux sens conjoints du vers» (*Les Nouvelles Littéraires,* 7 mai 1959).

Pour Apollinaire, l'important, dans le rythme des vers, est le mouvement de la parole, qui donne à la prosodie[1] le pas sur l'organisation logique de la phrase : «La langue parlée doit passer avant la langue écrite. Ce n'est pas l'y qui donne de la grâce aux nymphes» (*Paris-Journal,* 2 fév. 1910).

Liée à la production d'effets sémantiques particuliers, la seconde conséquence de la non-ponctuation est de faire basculer la responsabilité de l'organisation sémantique du discours sur les autres unités du langage : l'accentuation, l'intonation, les champs sémantiques et métaphoriques. Pour reprendre l'exemple des «Colchiques», le syntagme «y fleurit tes yeux» est bien inscrit dans le poème et par le poème, pour le bénéfice d'une tension énonciative portée par le groupe «tes yeux». Celui-ci apparaît en effet le terme comparé commun de deux groupes analogiques appartenant à des registres différents de l'image : un groupe métaphorique, «y fleurit tes yeux», et un groupe comparatif, «tes yeux sont comme cette fleur-là» (voir le chapitre sur l'image, p. 76).

2. Typographie et mise en pages

Ce qu'on peut appeler la dimension «formelle» du texte — sa typographie et sa mise en pages — participe, autant que la ponctuation, à la signifiance (voir ce mot p. 38) du poème. Cela implique de ne pas considérer comme secondaire la présentation

---

1. *Prosodie :* ensemble des traits relatifs à la composante phonique d'un discours.

typographique des textes. Lui conférer une valeur purement esthétique méconnaîtrait en effet que la signification d'un poème est
tributaire de son actualisation graphique.

Inversement, considérer que la forme d'un poème possède un
sens propre, indépendamment de la signification du texte, ne
permet pas d'analyser la dimension typographique comme un
constituant à part entière du discours poétique. Or, la typographie,
comme la ponctuation, est inséparable du discours qui la produit
et qu'elle contribue à produire. Une forme n'est pas signifiante en
soi, mais en rapport avec son historicité, qui est celle du discours
dont elle est une composante.

La voix dans le poème

Dès le début du XIXe siècle, l'intégration de la mise en pages
dans le système du poème correspond à une interrogation sur les
rapports entre typographie et dimension orale de la poésie, ce
qu'évoque significativement ce propos de Vigny : «Le tort de
l'imprimerie envers la poésie a été de transporter son émotion de
l'oreille aux yeux ; elle l'a perdue. Il n'y a personne (même un
poète) qui ne soit glacé par l'aspect de quarante mille vers rangés
deux à deux sans intervalles» *(Cahiers).*

La dimension visuelle du poème allait s'imposer comme
représentation de l'oralité du langage, figurant dans l'écriture le
dynamisme de la parole. C'est cette préoccupation qu'il convient
de lire dans le poème de Mallarmé *Un coup de dés jamais n'abolira
le hasard* (1897), et non une pure recherche formelle :

CE SERAIT
   pire
    non
     davantage ni moins
        indifféremment mais autant   **LE HASARD**
         Choit
        la plume
         rythmique suspens du sinistre
           s'ensevelir
          aux écumes originelles
     naguère d' où sursauta son délire jusqu' à une cime
           flétrie
    par la neutralité identique du gouffre

La représentation des «subdivisions prismatiques de l'Idée», dont Mallarmé faisait l'enjeu de son poème, n'a pas de sens en dehors de l'historicité de l'écriture mallarméenne, et celle-ci passe par les recherches poétiques contemporaines intégrant l'oralité dans l'écriture, ainsi que le revendique la Préface : «Reconnaissons aisément que la tentative participe, avec imprévu, de poursuites particulières et chères à notre temps, le vers libre et le poème en prose».

Loin de situer le poème du côté de l'ineffable ou de l'esthétisme, Mallarmé introduisait, par la typographie, conçue comme un élément fondamental du poème, la dimension vocale du langage : «La différence des caractères d'imprimerie entre le motif prépondérant, un secondaire et d'adjacents, dicte son importance à l'émission orale et la portée, moyenne, en haut, en bas de page, notera que monte ou descend l'intonation».

Dans le commentaire que fait Paul Claudel du «Grand poème typographique» de Mallarmé, c'est bien le rapport du texte à la voix qui se trouve mis en évidence : «Mallarmé avait cette idée que dans un poème toutes les parties n'ont pas la même importance, ne sont pas proférées avec la même intensité» («La philosophie du livre», 1925). C'est précisément cette dimension de l'oralité qui constitue le lien entre les deux poétiques, Mallarmé pouvant être considéré sur ce point comme une «composante» de Claudel.

L'analyse d'un poème comportant différents types de caractères s'efforcera de mettre en évidence l'effet de soulignement et de détachement intonatif opéré par ce marquage graphique. Ce peut être, par exemple, l'irruption d'une voix de commentaire, «doublant» en quelque sorte la voix énonciative : «Lui, n'est pas pauvre : il est *Un Pauvre*» (Tristan Corbière, *Les Amours jaunes,* 1873). Ce peut être aussi l'inclusion d'autres voix, à la manière des citations : «Là j'ai vu les *Chère Madame* / S'encanailler avec le frais» («Déjeuner de soleil»). Dans tous les cas, le commentaire fera ressortir chaque fois la valeur des voix énonciatives produites par le poème à l'aide de la typographie.

Le blanc typographique

Au cours du XIXe siècle, le blanc typographique est devenu un élément fondamental de l'écriture du poème, une composante de son rythme. Quand Aloysius Bertrand demande à son éditeur d'aérer ses « fantaisies » en prose, et qu'il précise : « Blanchir comme si le texte était de la poésie », il lie spécifiquement le poème à la typographie. Cette relation se révèle fondamentale dans la poétique de Claudel. La théorie du *blanc* qu'il développe n'est pas « mallarméenne », tant les deux poétiques sont différentes, mais elle se situe directement dans la dimension orale de la poésie évoquée par l'auteur du *Coup de dés* : « Le blanc n'est pas en effet seulement pour le poème une nécessité matérielle imposée du dehors. Il est la condition même de son existence, de sa vie et de sa respiration » *(ibid.)*.

Se substituant à la ponctuation logique du poème, à son organisation logico-syntaxique, le blanc prend en charge la subjectivité de l'énonciation, manifestant de ce fait sa nature rythmique : «Il est impossible de donner une image exacte des allures de la pensée si l'on ne tient pas compte du blanc et de l'intermittence» («Sur le vers français», 1925). Claudel parle ici des «allures de la pensée», définissant les ressources prosodiques et typographiques de la poésie comme les marques d'un comportement de langage. D'où le rôle capital de l'alinéa dans l'organisation sémantique du poème ; le blanc n'est pas du vide, il participe du langage, comme le silence : «Ce rapport entre la parole et le silence, entre l'écriture et le blanc, est la ressource particulière de la poésie, et c'est pourquoi la *page* est son domaine propre» («La philosophie du livre»).

Ces principes, Claudel les retrouve dans la poésie japonaise, et notamment dans la forme haïku, dont il s'inspire dans son recueil *Cent phrases pour éventails* (1927), où il tente de poser le rapport du sens au souffle par «la disposition des lignes et des mots, par l'interposition des blancs, par le suspens dans le vide des consonnes muettes, des points et des accents, la collaboration de la méditation et de l'expression, du sens, de la voix, du rêve, du souvenir, de l'écriture et de la pensée».

Tout le travail de Claudel, dans sa poésie comme dans son théâtre, est un travail de ponctuation, de redéfinition syntaxique, celui-là même qu'il lit dans les haïku japonais : «Et voici, de quelques mots, débarrassés du harnais de la syntaxe et rejoints à travers le blanc par leur seule simultanéité, une phrase faite de rapports!».

Recherche d'une autre syntaxe, d'une autre organisation du sens, par la mise en relation des éléments prosodiques et typographiques du discours poétique.

Un poème extrait de *Cent phrases pour éventails* (Gallimard) en donne l'illustration :

E ventail

De la parole
du
poète
il ne reste plus que le
S
ouffle

Il y a homologie absolue entre le blanc du papier et l'accentuation de la voix : les espacements des *Poèmes pour éventails* sont équivalents au travail de l'accent dans la diction. Là résidait pour Antoine Vitez la spécificité de l'écriture de Claudel : «Il y a une particularité extraordinaire, c'est la disposition même du verset, de la typographie. Qui indique non seulement la prosodie, la scansion, mais les intonations[1]».

Cette attention au blanc et généralement à la typographie, témoigne de la prise en compte, dans l'écriture du poème, d'un mode de signification propre à l'oralité. C'est pourquoi, depuis le XIXᵉ siècle, la poésie regarde vers les formes littéraires orales, comme le conte populaire ou la chanson : on a vu (p. 51) que la recherche d'une rythmique proche de celle de la ballade motivait, chez Aloysius Bertrand, l'emploi du tiret et du blanc typographique dans ses «couplets».

Apollinaire, quant à lui, constate l'incapacité de la ponctuation traditionnelle à rendre l'organisation de ses vers, composés, révèle-t-il, sur des rythmes de chansons : «Je compose généralement en marchant et en chantant sur deux ou trois airs qui me sont venus naturellement (...) La ponctuation courante ne s'appliquerait point à de telles chansons» (Lettre à H. Martineau).

Poésie concrète et calligramme

La poésie concrète

Etant une composante du poème, produite par lui et le produisant, la dimension graphique n'a donc pas une valeur en soi, mais en relation avec l'ensemble des autres données langagières par lesquelles se constitue le discours poétique.

---

1. A. VITEZ, «Un langage naturel», *Europe* (n° 635), mars 1982.

C'est pourquoi les expérience de poésie concrète — ou «spatialiste» — se présentent comme des cas-limites de réalisation typographique. Pour Pierre Garnier, «la langue se présente comme une "matière" plus ou moins dense, ensemble de signes plus ou moins espacés, plus ou moins énergétiques» (*Spatialisme et poésie concrète*, 1968). Mais ces signes, soustraits au processus de la signification, sont-ils encore des signes linguistiques ? Il apparaît que «la danse des lettres, la création de signes nouveaux, le montage de mécanismes linguistiques, la composition visuelle des différents éléments des langages» (*ibid.*) font davantage un dessin qu'un texte. L'exemple suivant est extrait de *Mensajes del oro*, de Mathias Goeritz (éd. Hansjörg Mayer, Stuttgart, 1965) :

```
o  r  o  r  o  r  o  r        oro  oro  oro  oro
r  o  r  o  r  o  r  o        oro  oro  oro  oro
o  r  o  r  o  r  o  r        oro  oro  oro  oro
r  o  r  o  r  o  r  o        oro  oro  oro  oro
o  r  o  r  o  r  o  r        oro  oro  oro  oro
r  o  r  o  r  o  r  o        oro  oro  oro  oro
o  r  o  r  o  r  o  r        oro  oro  oro  oro
r  o  r  o  r  o  r  o        oro  oro  oro  oro
```

Le calligramme

Si historiquement le procédé est ancien — on lui donne pour ancêtre le poème figuré de l'Antiquité —, il revient à Apollinaire d'en avoir fait autre chose qu'un jeu graphique. En conférant aux calligrammes un statut de poème, au même titre que les pièces en vers avec lesquelles ils alternent dans le recueil *Calligrammes*, Apollinaire proposait avant tout un travail sur la signification. Il pense d'ailleurs ses calligrammes en continuité avec le travail typographique du vers-libre : «Quant aux *Calligrammes*, ils sont une idéalisation de la poésie vers-libriste et une précision typographique à l'époque où la typographie termine brillamment sa carrière» (lettre à André Billy, 1918).

Rattachée à ce qu'on appelait, vers 1880, «la poétique nouvelle», la pratique des calligrammes se trouve, de ce fait, liée aux recherches sur le rythme, et se présente comme leur aboutissement. Libres de la métrique et de la ponctuation logique, les «idéogrammes lyriques», comme Apollinaire les appelle aussi, matérialisent la pensée d'un mode de signification situé à l'intersection du lisible et du visible.

En rendant visible, la typographie rend lisible ; la disposition des mots dans la page tenant indissociés l'écriture du poème et son mode de lecture. Bien qu'il soit tentant, avec Michel Butor, d'interpréter l'écriture des *Calligrammes* comme «une réponse poétique à la prise de possession de la lettre et du mot par la peinture cubiste» — le titre initial du recueil était : «Et moi aussi je suis peintre» —, les deux pratiques, en fait, ne sont pas symétriques.

Il ne s'agit pas, dans le calligramme, du détournement d'un matériau plastique à des fins langagières, comme la peinture s'approprie à des fins plastiques la représentation graphique du langage — les lettres —, mais de proposer une organisation spatiale des poèmes qui, loin d'être redondante du texte, en marque la spécificité par l'exposition d'une *différence irréductible*.

Chez Apollinaire, le calligramme ne s'épuise pas dans la représentation d'un objet. Souvent, d'ailleurs, l'identification de la forme se fait *a posteriori,* après lecture du texte dont le tracé matérialise la figure. Ainsi tel graphisme censé représenter « un cigare allumé qui fume » (extrait du poème « Paysage ») n'est-il signifiant qu'après coup, une fois l'énoncé lu :

Inversement, quand les figures typographiques prennent leur modèle dans un répertoire symbolique, donc directement décodable, elles sont détournées de leur signification immédiate par le texte qui les constitue, comme les deux cercles rayonnants de «Lettre-Océan», lesquels ne sont pas liés à la représentation solaire.

Ainsi, le calligramme d'Apollinaire, même s'il intègre la dimension mimétique historiquement attachée au genre, est avant tout la recherche d'une mise en espace du texte.

L'usage moderne de la ponctuation et de la typographie — qui en est une forme maximale —, en favorisant la fragmentation du texte et sa dispersion sur la page, a pu susciter le sentiment d'une pratique discontinue de l'écriture. Cette impression est en fait motivée par une approche positiviste de la forme, laquelle confond le blanc avec l'absence de langage, et donc de sens. Mais le blanc, dans un discours écrit, et même dans le cas où il se trouve théorisé comme silence, reste du langage, n'étant en fait, au plan typographique, qu'une extension de l'alinéa, comme l'alinéa l'est du point, le point de la virgule, et la virgule de la pause démarcative des groupes syntaxiques (représentée ou non par la ponctuation), chacune de ces marques étant liée à l'accentuation du langage dans le discours.

Le «discontinu» de la poésie moderne ne peut provenir que de l'inadaptation de la lecture à des formes nouvelles de l'écriture, lesquelles sollicitent au maximum les possibilités de représentation graphique du discours. Le poème, quand il reste langage, est continu ; et ce qui fait sa continuité, c'est son rythme, dont la ponctuation et la typographie sont des composantes à part entière.

APPLICATIONS PRATIQUES

1. Etude des effets de sens provoqués par la non-ponctuation dans cet extrait du poème de Tristan Tzara, *La Face intérieure*, Seghers, (1953) :

> Aravis Aravis grand blessé de la tête
> tu arrives dans le craquement de la nuit des parois
> le sourire fixé sur l'avenir de la poitrine
> ardoise de l'insecte lent
> tu te plais au vin clair du matin chauffant
> chaque feuille habillée de cascades en plein coeur
> se replie sous le crépi de l'ardeur d'exister
> à force de s'élever jusqu'à la conscience d'elle-même

2. Dans ces trois extraits du *Porche du Mystère de la Deuxième Vertu* de Charles Péguy (Gallimard, 1929), étudier la fonction de la typographie (alinéas, styles de caractères) et de la ponctuation dans le mouvement du discours :

> *Voyez à ne pas mépriser un de ces petits : en effet je vous le dis, que leurs anges dans les cieux voient toujours la face de mon Père, qui est aux cieux.*

> ....

> Quel commandement, quelle autorité, quelle brutalité, quel écrasement d'espérance.

Voyez à ne pas mépriser un seul de ces petits :
Un seul :
en effet je vous le dis,
que leurs anges dans les cieux
voient toujours la face de mon Père, qui est aux cieux,
Comme on voit, comme on sent la sève au mois de mai
Poindre sous la dure écorce,
Ainsi on sent, ainsi on voit au mois de Pâques
Un sang nouveau monter et poindre
Sous la dure écorce du coeur,
Sous l'écorce de la colère, sous l'écorce du désespoir,
Sous la dure écorce du péché.
....
Quelle brutalité, mon enfant, quelle imposition, quelle violence
de Dieu.
Quel écrasement, quel commandement d'espérance.
Voyez à ne pas mépriser **un seul** *de ces petits :*
En effet je vous le dis,
Que leurs anges dans les cieux voient toujours la face de mon Père,
Qui est aux cieux.

— Montrer comment l'usage de différents types de caractères favorise l'intégration de la voix de commentaire dans l'énonciation du discours cité.

— Analyser les diverses valeurs de la ponctuation dans l'articulation du discours cité et du discours citant. On comparera par exemple la valeur des deux points après « un de ces petits » dans les deux premiers extraits. On étudiera également, dans le deuxième passage, les conséquences du changement de ponctuation, après «qui est aux cieux», sur la signification des vers suivants.

— Commenter l'emploi des alinéas dans la reprise du discours cité.

LECTURES CONSEILLEES

DECAUDIN Michel,
    Le Dossier d'Alcools, Droz-Minard, 1965.

MESCHONNIC Henri,
    Critique du rythme, « Espaces du rythme », Verdier, 1982.

TZARA Tristan,
    Oeuvres complètes, t. V, « Gestes, ponctuation et langage poétique », Flammarion, 1982.

LANGUE FRANÇAISE, n° 45, « La ponctuation », 1980.

IV. L'image

L'image tient une place particulière dans l'étude du poème. Elle présente en effet la particularité paradoxale d'être une composante essentielle du langage poétique, en même temps qu'une réalité linguistique difficile à définir — donc à appréhender.

On lèvera en partie la difficulté en ne dissociant pas l'étude des images de l'histoire de leurs conceptions.

1. La notion d'image

Notion complexe et floue, l'image a pris, dans la poésie moderne, la place que tenait le vers dans la poésie classique : elle est devenue la marque du langage poétique. Mais l'image n'est pas l'apanage de la poésie. Elle est avant tout un élément constitutif du langage, au même titre que le rythme ou la prosodie.

La métaphore, par exemple, qui est une des formes de l'image, est un procédé naturel de formation du lexique. En témoignent l'oiseau nommé *roitelet* — «petit roi» —, ou encore les nombreuses expressions métaphoriques que nous utilisons, et dont l'emploi stéréotypé nous a fait oublier leur nature première : *parler à bâtons rompus, sauter du coq à l'âne*... Il faut alors que quelqu'un prenne, souvent par jeu, ces expressions à la lettre, pour que leur statut premier d'image apparaisse. Ce que fait Robert Desnos dans le poème «C'était un bon copain» (*Langage cuit*, Gallimard, 1923) :

> Il avait le coeur sur la main
> Et la cervelle dans la lune

....
Il avait l'estomac dans les talons
Et les yeux dans nos yeux
....
Il avait la tête à l'envers
Et le feu là où vous pensez
....
Quand il prenait ses jambes à son cou
Il mettait son nez partout
....
Il n'avait pas sa langue dans sa poche
Ni la main dans la poche du voisin
Il ne pleurait jamais dans mon gilet

La notion d'image est d'autant plus délicate à manier qu'elle ne relève pas spécifiquement du domaine linguistique. Liée d'une façon générale au processus de la représentation, elle draine avec elle un arrière-plan psychologique qui la place à la croisée des théories de la perception et de l'imagination, et qui risque de se substituer à l'analyse du langage poétique.

S'ajoute à cette influence la confusion entre l'expérience sensorielle et le signifié linguistique (voir p.36), confusion qui place sur le même plan les notions d'«image visuelle» et d'«image littéraire». En témoigne la figure de rhétorique appelée *hypotypose,* qui «peint les choses d'une manière si vive et si énergique qu'elle les met en quelque sorte sous les yeux» (P. Fontanier, *Les Figures du discours*).

La poésie étant langage, il y a, et il y a toujours eu, des images dans les poèmes. Simplement, la conception de l'image a changé au cours de l'histoire. Ainsi, le surréalisme a fait de l'image un élément premier de l'écriture du poème, en la dégageant du point de vue rhétoricien. Pour la rhétorique, en effet, l'image n'était pas — à la différence de la métaphore —, un trope[1] particulier, mais une notion diffuse, confondue partiellement avec l'emploi de certaines figures. Boileau liait explicitement les deux termes, considérant les figures de rhétorique comme des procédés générateurs d'images : «De figures sans nombre égayez votre ouvrage, / Que tout y fasse aux yeux une riante image» *(Art poétique).* Les limites de ce volume interdisant un examen détaillé des figures de

---

1. Trope : figure particulière, par laquelle un mot est détourné de son sens propre et employé dans un sens différent.

rhétorique, on ne peut que renvoyer sur ce sujet aux deux ouvrages, figurant dans la Bibliographie, de H. Morier, et de B. Dupriez. On étudiera ici deux figures fondamentales : la *métaphore* et la *comparaison.*

La métaphore

La métaphore «confronte sans recourir à aucun signe comparatif explicite, l'objet dont il est question, le *comparé,* à un autre objet, le *comparant*» (Morier, *Dictionnaire de poétique et de rhétorique*).

Elle peut être réalisée par l'apposition des deux termes : «**tes yeux calices blancs** de l'amertume», par leur mise en relation attributive : «**les alouettes sont des tableaux blancs**», par qualification du comparé par le comparant : «les étoiles qui voyagent avec **des jambes de sel**», par la qualification du comparant par le comparé: «la nuit avec **des violons de pluie**», ou par la seule présence du comparant, le terme comparé étant sous-entendu : «où la lune pose **ses grandes orgues froides**[1]». Quand les deux termes de la relation sont mis en présence, la métaphore est dite *in praesentia ;* quand le seul comparant est présent — dans le dernier exemple, l'attribut de la lune comparé à des «grandes orgues froides» n'est pas nommé—, la métaphore est dite *in absentia.*

L'effet sémantique de la métaphore est inséparable de sa réalisation syntaxique, et de la valeur qu'elle confère à tel ou tel discours. On distinguera, par exemple, la métaphore à complément de nom, fréquente dans la poésie surréaliste — «une enceinte de tabac et d'iris», «les trémies du ciel», «la machinerie étrange du bonjour», «la cendre de la vie» (R. Desnos, *C'est les bottes de sept lieues*) — de la métaphore à construction appositive, dont ont fait usage les poètes baroques : «Paillettes d'or, claires étoiles / Dont la nuit fait ses ornements, /... Fleurs des parterres azurés, / Points de lumière, clous dorés / Que le ciel porte sur sa roue (Martial de Brive, *Benedicte stellae coeli*)[2]. On appréciera, dans le cas de la métaphore appositive, l'effet de tension inhérent au procédé, la construction posant l'identité des termes sans autre marque relationnelle syntaxique que la pause entre les groupes nominaux.

---

1. Ces exemples sont extraits des *Poésies* (1936-1958) de Georges Schéhadé.
2. Voir J. Rousset, *La Littérature de l'âge baroque,* chapitre VIII : «D'un baroque littéraire» (Corti, 1965).

Quand un discours développe une métaphore, c'est-à-dire qu'il en prolonge le sens au delà d'elle-même, on parle de *métaphore filée,* ou *continuée,* comme dans ces vers de Victor Hugo :

> Le brave laboureur fait ses sillons et règle
> La page où s'écrira le poème des blés
> («Eclaircie», *Les Contemplations,* v. 26-27)

Ici, le champ labouré est métaphoriquement assimilé à une page, par l'intermédiaire du mot «sillons», équivalent agraire des vers du poème, la pousse des blés représentant l'écriture de ce poème. Mais l'image n'est pas une fin en soi ; elle ne prend sa valeur que d'être rapportée au poème entier, et à l'ensemble des *Contemplations,* recueil dans lequel le monde apparaît sous la métaphore du poème :

> Car Dieu fait un poème avec des variantes ;
> Comme le vieil Homère, il rabâche parfois,
> Mais c'est avec les fleurs, les monts, l'onde et les bois!
>   («Pasteurs et troupeaux», v. 12-14).

L'univers devient ce livre dans lequel le poète, enfant, apprenait à lire :

> Oui, j'allais feuilleter les champs tout grands ouverts ;
> Tout enfant, j'essayais d'épeler cette bible
> Où se mêle, éperdu, le charmant au terrible ;
> Livre écrit dans l'azur, sur l'onde et le chemin,
> ....
> Prodigieux poème où la foudre accentue
> La nuit, où l'océan souligne l'infini
>   (« Ecrit en 1946 », v. 188 -195).

Dans cet exemple, le développement de la métaphore réalise, au nom du poète, la continuité entre le monde et le poème. C'est *je* qui, lisant le monde, lui donne son sens, et y inscrit sa subjectivité.

Il est important d'étudier ce travail du discours, dans la mesure où il développe la métaphore en un mouvement narratif qui transforme le poème en une allégorie du monde. Une remarque à ce sujet : on ne retient souvent de l'allégorie que sa dimension symbolique — ou sémiotique —, par laquelle une idée abstraite ou un objet inanimé sont présentés sous les traits d'une personne. Mais l'analyse doit aussi prendre en compte la dimension narrative

qui crée à partir d'une métaphore un récit dans le poème — cet effet
de dramatisation se trouvant favorisé par la personnification,
comme dans «Mors» de Victor Hugo (*Les Contemplations,* 1856) :

> Je vis cette faucheuse. Elle était dans son champ.
> Elle allait à grands pas moissonnant et fauchant,
> Noir squelette laissant passer le crépuscule.
>
> («Mors», v. 1-3)

Ce poème, qui personnifie la mort sous les traits traditionnels du
squelette armé d'une faux, est allégorique en ce qu'il prolonge
cette métaphore jusqu'à en faire le thème même de la pièce. Poème
de *je* («Je vis...»), «Mors» se développe en poème de *il* («Elle était
dans son champ..., Elle allait à grands pas...»), la «faucheuse»
devenant alors, à travers une image populaire, une représentation
à la fois subjective et collective de la mort.

La comparaison

Bien que la métaphore soit souvent rapprochée de la comparaison
— ces deux figures relevant du domaine de l'analogie — elles ont
cependant chacune leur spécificité et n'appartiennent pas au même
registre de discours. L'ancienne rhétorique définissait la métaphore comme une figure «par ressemblance» des termes, et la
comparaison comme une figure «par rapprochement» de deux
réalités dont la relation pouvait être aussi bien «de convenance ou
de similitude» que «de disconvenance ou de dissimilitude». Cela
signifie que, pour la rhétorique classique, la métaphore suppose un
rapport nécessaire de ressemblance entre les termes, contrairement
à la comparaison, dont le caractère de similitude n'est qu'un cas
particulier des relations possibles entre les termes de la figure.

La métaphore n'est donc pas une «comparaison abrégée», qui
aurait perdu son outil relationnel, *comme* ou *tel*. Ces deux espèces
d'image ne sont pas liées «génétiquement» entre elles.

La comparaison, comme la métaphore, est d'abord une syntaxe.
Elle met en relation deux éléments sans provoquer leur assimilation,
sans qu'ils s'identifient l'un à l'autre. *Comme* — ou tout autre
syntagme équivalent : *tel (que), ainsi (que)* — représente dans le
discours l'inscription du geste analogique. Ce qui se trouve alors
figuré, c'est la mise en relation elle-même, et par là même la
présence du sujet de l'énonciation.

On comprend alors la prédilection de Baudelaire pour les images à comparaison. Lui qui dénonçait chez les écrivains réalistes la représentation de «l'univers sans l'homme» (*Salon* de 1859), avait fait des «correspondances» une tentative de dire par ce moyen la subjectivité inhérente à toute représentation du monde. Dire à la fois que l'objet est langage, et qu'étant langage, sa signification est liée à la parole qui lui confère sa place dans l'expérience qu'en ont les sujets :

> Comme de longs piliers qui de loin se confondent
> Dans une ténébreuse et profonde unité,
> Vaste comme la nuit et comme la clarté,
> Les parfums, les couleurs et les sons se répondent
> (*Les Fleurs du mal,* « Correspondances », v. 5-8)

Ce second quatrain du sonnet «Correspondances» développe sous la forme comparative l'allégorie construite dans le premier quatrain à partir de l'image métaphorique : «la nature est un temple». Les correspondances, étant une théorie de l'analogie généralisée, font de *comme* un mot essentiel de la poétique baudelairienne. Si, selon Baudelaire, «l'âme lyrique fait des enjambées vastes comme des synthèses» («Théodore de Banville», 1861), alors *comme* est le mot lyrique par excellence.

L'étude de la métaphore et de la comparaison nous a montré que l'analyse ne peut se contenter d'une approche «généraliste» de l'image, mais qu'elle réclame d'en apprécier chaque fois la forme particulière. Il est à présent nécessaire d'aborder l'aspect historique de la notion pour comprendre les conceptions modernes de l'image.

2. Les conceptions de l'image

L'analogie

La conception de l'image est liée historiquement à la notion d'analogie, que développe Aristote dans ses propos sur la métaphore : «La métaphore est le transport à une chose d'un nom qui en désigne une autre» *(La Poétique).*

Parmi quatre types de rapports, il distingue le «rapport d'analogie», qu'il définit comme un rapport croisé entre quatre termes liés logiquement deux à deux : «Il y a le même rapport entre la vieillesse et la vie qu'entre le soir et le jour (la journée) ; le poète dira donc du soir (...) que c'est "la vieillesse du jour", de la vieillesse que c'est "le soir de la vie"». La métaphore suppose donc l'identité affirmée de deux relations logiques : vieillesse-vie et soir-journée, l'opération consistant à interchanger un élément pris dans chacun des couples de termes, pour la production de deux métaphores.

Sous sa forme extrême, le principe de l'échange de termes appartenant à des domaines logiques différents aboutit au genre de l'énigme, qu'Aristote définit en ces termes : «L'essence de l'énigme est de joindre ensemble, tout en disant ce qui est, des termes inconciliables (...) Par exemple : j'ai vu un homme qui, avec du feu, collait du bronze sur un homme» (il s'agit d'un homme à qui l'on pose des ventouses).

On peut placer sous le signe de l'énigme la théorie de l'image dans la poésie, jusqu'au XIXe siècle. Utiliser une image, c'est traditionnellement nommer une chose par un autre nom que le sien propre. Ainsi, dans la poésie baroque, les objets deviennent des objets de langage, des objets dont la relation sémantique à l'homme varie, travaillée par les discours successifs. On peut prendre l'exemple d'une métaphore complexe que Jean Rousset a étudiée chez les poètes baroques à partir du thème de l'oiseau[1] :

Un atome résonant, une voix emplumée, un son volant (Marino)

Bouquet chanteur, lyre volante, / Sifflet ailé (Quevedo)

Voix visibles, sons emplumés / Luths vivants, orgues animés (Martial de Brive)

Et vous, oiseaux, luths animés, / Vivants concerts... / Volantes voix,... vivants violons (Dubois-Hus).

Le principe de cette métaphore consiste à inverser le rapport de caractérisation qui relie l'oiseau à son «chant». C'est le chant, ou l'un des termes équivalents — voix, son, sifflet, luth, orgue, violon, concerts — qui devient le caractérisé, et l'oiseau, désigné par sa nature animale —ailé, emplumés, volantes, vivants, animés, visibles — qui devient le caractérisant. J. Rousset voit là un

1. J. ROUSSET, *La Littérature de l'âge baroque en France*.

«déguisement rhétorique» qui transforme le monde en véritable énigme : «qu'est-ce qu'un violon qui vole ?». Inverse d'une description du monde, le mouvement est plutôt celui d'un «jeu cérébral qui, au lieu de dire, veut masquer».

Cette utilisation de l'image montrait ce qu'est véritablement *nommer :* l'intervention linguistique d'un sujet sur le monde, sa manière particulière de le concevoir. Par là, elle rendait manifeste la relation entre théorie du langage et théorie de la signification.

Le fait que l'image baroque soit liée à la nomination et, partant, au rapport entre le langage et le réel, explique les réactions négatives de commentateurs s'élevant contre «ceux qui n'appellent jamais les choses par leur nom, et qui ne parlent que par métaphore» (Bouhours, 1671). *Ne pas appeler les choses par leur nom* dissocie la chose et le mot, et retire le monde à la nature pour le mettre dans la fable.

En analysant la métaphore baroque, on met donc au jour un travail du langage *dans l'image,* suscité *par l'image.* Ce travail reconnaît qu'il n'y a, dans la nomination, que discours, point de vue d'un sujet dans son langage. La métaphore est donc apparue un acte de langage propre à renommer les objets, à leur conférer un second baptême linguistique, comme l'a expérimenté la poésie précieuse.

On connaît la caricature que Molière a donnée de la métaphore précieuse dans sa pièce des *Précieuses ridicules* (1659) : «le conseiller des grâces», «les commodités de la conversation», etc… Mais en soulignant le caractère énigmatique de ces images, la parodie mettait en avant une tendance de cette poésie : en développant l'usage de la métaphore *in absentia,* les poètes procédaient à l'effacement du nom «propre» des choses.

Un sonnet de Tristan, extrait des *Vers héroïques* (1648), illustre bien le processus d'une écriture qui rappelle le *cryptogramme* (texte écrit en langage chiffré). Le poème s'ouvre sur une suite d'images qui dépeint la femme aimée sans la nommer :

> Admirable concert de célestes beautés,
> Magnifique recueil de fleurs et de lumières…,

et se clôt sur une allégorie de l'amoureux victime d'une beauté inflexible :

> Car sur ma sépulture on lira quelque jour
> Que ce fut pour le moins un soleil en mérite
> Qui réduisit en cendre un phénix en amour.

L'accumulation d'images réduites aux seuls termes comparants rapproche l'écriture du poème de celle de l'énigme.

Comme l'image baroque, l'image précieuse transformait en fiction toute parole sur le monde : «Laissez-nous faire à loisir le tissu de notre roman», demandait la Magdelon de Molière. Mais l'usage systématique du procédé a pu mener la poésie vers un formalisme, et donc un académisme. Le classicisme, en général, ne conserva que quelques métaphores tout à fait stéréotypées : la «flamme» de l'amour, les «fers» dont l'âme est «enchaînée», héritant de la poésie précieuse ce monde très codifié, où la passion est du feu, et l'indifférence, de la glace : «Mais que ce dur glaçon qu'elle porte dans l'âme / Résiste toujours à ma flamme!» (Tristan, «L'amant discret», *Plaintes d'Acante*, 1633).

La poésie moderne, si elle rejeta toute codification métaphorique, conserva cependant l'image comme principe d'écriture. La recherche baroque des analogies cachées, qui mettait les choses et les êtres en correspondance, permettait de médiatiser la relation de l'objet à sa nomination. Nommer l'objet n'était pas l'enfermer dans la forme de son nom, mais l'ouvrir à la fiction. Seulement, l'image moderne renouvellera l'image en organisant la dissolution du sens caché, ou de la cohérence logique.

Cette recherche de l'incongruité métaphorique, qui aboutira chez les surréalistes à la mise en relation de deux réalités éloignées — d'un point de vue logique —, peut évoquer, à première vue, la pratique de l'énigme aristotélicienne, consistant à «joindre ensemble… des termes inconciliables».

En fait, ces deux conceptions de l'image diffèrent radicalement — du moins dans leur projet. Pour Aristote, la mise en rapport des mots dans l'énigme, comme dans la métaphore, n'est jamais le fruit du hasard. L'incohérence logique n'y est qu'apparente, puisqu'il s'agit en fait de mettre au jour des ressemblances déjà constituées dans l'ordre du monde : «bien faire les métaphores, c'est bien apercevoir les ressemblances». Révélant des relations cachées, le poète n'est pas véritablement créateur, mais «imitateur, tout comme le peintre et tout autre artiste qui façonne des images».

L'image surréaliste diffère de l'image aristotélicienne en ce qu'elle tend à restituer au monde, par le langage, un pouvoir de signification perdu. Tristan Tzara, dans un texte de 1953, étendait cette théorie de l'image à toute la poésie moderne : «Sa mission essentielle est de créer une réalité poétique plutôt que de traduire en paroles une image donnée d'autre part dans un monde qui n'est virtuellement pas le sien». Comme pour sa propre vie, le poète cherchera, dans l'image, l'*inédit*.

En abandonnant la conception traditionnelle de l'image héritée d'Aristote, c'est une perspective esthétisante de la littérature que la poésie moderne a voulu rejeter. A la suite du surréalisme, elle a considéré que la poésie était une activité de l'esprit reposant sur une forme particulière de penser, que Tzara nommait «le penser imagé».

L'image surréaliste

Il y a toujours eu des images dans la poésie — comme il y en a dans le langage — mais c'est le surréalisme qui en fait la marque même de la poésie : «Le vice appelé *surréalisme* est l'emploi déréglé et passionnel du stupéfiant *image*» (Aragon, *Le Paysan de Paris,* 1926). Le surréalisme est allé vers le «tout-image», cette idée que le langage en soi est image : «Tout est image et représentation quand il s'agit de l'expression», et que la finalité de l'écriture poétique est «l'image plus vaste qu'est le poème lui-même» (Tzara, 1953).

C'est dans la relation du langage à la réalité que s'inscrit le projet poétique du surréalisme. Le premier *Manifeste du surréalisme* d'André Breton s'ouvrait sur la remise en question de l'attitude réaliste par l'imagination, instrument de liberté : «La seule imagination me rend compte de ce qui *peut être,* et c'est assez pour lever un peu le terrible interdit ; assez aussi pour que je m'abandonne à elle sans crainte de me tromper».

Parce qu'il assignait au langage une autre tâche que celle du simple enregistrement des faits, le surréalisme a fait de l'image une pratique poétique de prédilection.

Sa conception de l'image s'appuie historiquement sur une définition empruntée par Breton à Pierre Reverdy, pour lequel l'image reposait essentiellement sur le « rapprochement de deux réalités plus ou moins éloignées ». Et plutôt plus que moins : «Plus les rapports de deux réalités rapprochées seront lointains et justes, plus l'image sera forte — plus elle aura de puissance et de réalité poétique[1]».

---

1. Définition reprise par A. Breton à P. Reverdy (*Nord-Sud,* 1918).

Tout le travail des surréalistes consistera à privilégier, dans cette définition, l'adjectif «lointains». Pour Breton, l'image «la plus forte est celle qui présente le degré d'arbitraire le plus élevé (...) celle qu'on met le plus longtemps à traduire en langage pratique», celle qui relie «deux éléments de la réalité, de catégories si éloignées l'une de l'autre que la raison se refuserait à les mettre en rapport» (*Du surréalisme en ses oeuvres vives*, 1953).

A cette définition correspondent ces images d'André Breton : «ses lèvres qui sont des pierres au fond de la rivière rapide» («Amour parcheminé», *Clair de terre*), «l'éclair à l'armure brouillée» («Rendez-vous», *ibid*), «L'air de la chambre est beau comme des baguettes de tambour» (*Le Revolver à cheveux blancs*, «Le verbe être», 1932), «un bouquet d'immortelles de la forme de mon sang» («La forêt dans la hache», *ibid*.). On commentera dans ces images le principe de l'éloignement logique, ou de «disconvenance», entre les termes rapprochés : lèvres/pierres, éclair/armure, air/baguettes, bouquet/sang, forme/sang.

L'écriture surréaliste recherche donc ce lieu théorique qui mettrait le poème en dehors des atteintes de la raison, et de son principe de contradiction : «Tout porte à croire qu'il existe un certain point de l'esprit d'où la vie et la mort, le réel et l'imaginaire, le passé et le futur, le communicable et l'incommunicable, le haut et le bas cessent d'être perçus contradictoirement. Or, c'est en vain qu'on chercherait à l'activité surréaliste un autre mobile que l'espoir de détermination de ce point.» *(Du surréalisme en ses oeuvres vives).*

Libre du principe de contradiction, l'image se définit en dehors de la pensée logique aristotélicienne, puisque «c'est du rapprochement en quelque sorte fortuit des deux termes qu'a jailli une lumière particulière, *lumière de l'image,* à laquelle nous nous montrons infiniment sensibles» *(Manifeste du surréalisme).* Le point de vue surréaliste prend ainsi le contre-pied de la conception classique de l'image fondée sur la notion d'*invention,* qui restait dans le vraisemblable, se démarquant explicitement du «frénétique» onirique[1]. Le primat du vraisemblable, qui introduit dans le langage une représentation du rationnel, explique l'extrême codification des images dans la poésie de la Pléiade et des poètes

---

1. «Quand je te dis que tu inventes choses belles et grandes, je n'entends toutefois ces inventions fantastiques et mélancoliques, qui ne se rapportent non plus l'une à l'autre que les songes entrecoupés d'un frénétique.» (Ronsard, *Abrégé de l'art poétique,* 1565, «De l'invention»).

classiques. Ce sont par exemple, dans la poésie amoureuse, les images du corps féminin, dont les poèmes dressent une manière de catalogue :

> Je vis ton **sein** blanchissant comme **albâtre**
> Et tes **yeux**, deux **soleils**,
> Tes beaux **cheveux** épanchés par **ondées**,
> Et les beaux **lys** de tes **lèvres** bordées
> De cent **oeillets** vermeils
>
> (Ronsard, *Chanson*, 1556)

Dans l'image surréaliste, le hasard s'opposera à l'intention, et introduira une nouvelle manière de penser les rapports entre langage et sujet, entre langage et société. Dans son *Traité du style*, Aragon dissocie l'écriture et le projet de l'écriture :

> L'homme qui tient la plume ignore ce qu'il va écrire, ce qu'il écrit (…) il le découvre en se relisant et se sent étranger à ce qui a pris par sa main une vie dont il n'a pas le secret (…) Le sens se forme en dehors de vous. Les mots groupés finissent par signifier quelque chose.

Le caractère fortuit de l'image surréaliste la libère des impératifs de la représentation liée à l'idée d'un monde premier, chargé d'un sens immuable. Chez Aristote, le monde — et le sens du monde — sont déjà là, le langage n'étant que la représentation et la vérification de cette réalité préexistante. L'image surréaliste fait le chemin inverse. Elle est, comme l'écrit Jean Paulhan, un «fait primitif, que l'on peut seulement, de façon plus ou moins maladroite, traduire ensuite en langage commun». L'image ne représente plus, alors, un objet réel, elle est l'objet même. Pour Breton, «l'imaginaire est ce qui tend à devenir réel» («Il y aura une fois», *Le Revolver à cheveux blancs*).

En travaillant dans le champ même de la représentation, l'image surréaliste montre que le monde est d'abord un discours sur le monde, une énonciation, la parole d'un sujet :

> La médiocrité de notre univers ne dépend-elle pas essentiellement de notre pouvoir d'énonciation ? (…) Qu'est-ce qui me retient de brouiller l'ordre des mots, d'attenter de cette manière à l'existence toute apparente des choses! (…) Silence, afin qu'où nul n'a jamais passé je passe, silence! («Introduction au discours sur le peu de réalité», *Point du jour*).

L'analogie, alors, n'est pas une relation cachée au creux des choses, et qu'il faudrait découvrir ; elle est toute dans l'actualité de l'écriture qui se fait. Les comparaisons ne disent pas un ordre préétabli, mais affirment la subjectivité du discours qui les produit. Dans l'exemple qui suit, les quatre comparaisons constituent une série ouverte, et font de l'image l'infini de l'écriture, l'aventure sans bornes du sujet écrivant :

Les saisons lumineuses comme l'intérieur d'une pomme
dont on a   détaché un quartier
ou encore comme un quartier excentrique habité par des êtres
qui sont   de mèche avec le vent
ou encore comme le vent de l'esprit qui la nuit ferre
d'oiseaux sans   bornes les chevaux à naseaux
d'algèbre
ou encore comme la formule
teinture de passiflore   aa 50 cent. cubes
teinture d'aubépine
teinture de gui   5 cent. cubes
teinture de scille   3 cent. cubes
         qui combat le bruit de galop
(A Breton, *Le Revolver à cheveux blancs*, «Nœud des miroirs», Gallimard, 1966).

Dans cet extrait, le passage d'une comparaison a l'autre se fait par un terme-pivot faisant chaque fois image. Le mot «quartier» est pris dans deux sens différents (le quartier d'une pomme ; le quartier d'une ville), le mot «vent» est pris d'abord au sens propre, puis métaphoriquement (l'esprit a la puissance du vent), le mot «algèbre» enfin implique, par métonymie, le mot «formule», employé dans la dernière comparaison.

On voit l'intérêt, pour l'analyse de l'image, de la démarche surréaliste. Elle montre que, pour les textes poétiques de la modernité, la recherche d'une cohérence logique liant les termes mis en rapport n'est une fin en soi ni pour l'écrivain, ni, donc, pour le lecteur.

Dans l'énigme aristotélicienne, la clé est une donnée du texte. Dans l'image surréaliste, la clé n'est qu'une conjecture de l'analyse, donc un point de vue purement subjectif, introduit par force dans un texte qui ne le présuppose pas. C'est le sens du mot célèbre de Breton critiquant l'interprétation de deux images de Saint-Pol-Roux. Au commentateur qui affirmait : «*Lendemain de chenille en tenue de bal* veut dire : papillon. *Mamelle de cristal* veut dire : une

carafe», Breton répliquait : «Non, monsieur, *ne veut pas dire.*
Rentrez votre papillon dans votre carafe. Ce que Saint-Pol-Roux
a voulu dire, soyez certain qu'il l'a dit» *(Point du jour).*

3. L'image, mode de signifier

La notion d'image recouvre un ensemble extrêmement varié de
faits linguistiques qui ont pour point commun d'être liés à la
représentativité du langage, c'est-à-dire à sa capacité de représenter
des idées, des notions, des objets de pensée. Cette faculté, comme
nous l'avons vu à propos de la poésie surréaliste, se réalise par une
opération sur des éléments linguistiques — des «mots» —, non sur
des référents — des «choses». L'histoire des conceptions de
l'image nous enseigne avant tout que notre expérience du monde
est indirecte, qu'entre les objets et le sujet qui a affaire à eux se tient
le langage, vecteur de la signification.

C'est pourquoi l'image devra être étudiée spécifiquement en
tant que réalité de langage, en insistant particulièrement sur sa
dimension syntaxique. L'étude lexicale, consistant à rechercher
quels sèmes — unités de signification — sont communs aux deux
termes mis en rapport, ou à rendre explicite le terme non exprimé
d'une métaphore *in absentia,* ne peut être en effet qu'un moment
de l'analyse, non sa fin dernière. Dans le cas contraire, le risque est
grand, surtout dans la poésie moderne, de substituer à l'étude d'une
écriture la recherche d'un sens caché, et de favoriser par là
l'interprétation subjective.

La prise en compte de la syntaxe de l'image est une orientation
suscitée par les poètes modernes, s'opposant ainsi au point de vue
de la rhétorique, dont l'analyse des tropes se cantonnait dans
l'étude des rapports logiques — rapports de signifiés lexicaux —
entre les termes. Dans son *Traité du style,* (1928), Aragon soulignait l'importance de la dimension syntaxique de l'image :

> Car l'image n'est pas seulement comme on le croyait il y a dix
> ans un objet usuel décrit au moyen d'un nom d'animal burlesque,
> etc., mais aussi la négation, la disjonction, le général à la place du
> particulier, et bien d'autres formes d'appréhensions de l'idée
> purement syntaxiques, à inventer chaque fois.

«A inventer» : l'image n'est plus cette formule préétablie à puiser dans le catalogue des figures de rhétorique. «Chaque fois» : loin d'être une forme extraite d'un nouveau catalogue, l'image devient la création de chaque écriture, de chaque poème, que l'analyse se doit de repérer. Aragon montre que les formes en sont aussi variées que peuvent l'être les discours, les manières d'écrire.

Il cite, pêle-mêle :

> Les phrases fautives ou vicieuses, les inadaptations de leurs parties entre elles, l'oubli de ce qui a été dit, le manque de prévoyance à l'égard de ce qu'on va dire, le désaccord, l'inattention à la règle, les cascades, les incorrections (...) les périodes à dormir debout, boiteuses, les confusions de termes, l'image qui consiste à remplacer une préposition par une conjonction sans rien changer de son régime (...) prendre l'intransitif pour le transitif et réciproquement, conjuguer avec être ce dont avoir est l'auxiliaire (...) faire à tout bout de champ se réfléchir les verbes.

Aragon, avec humour, érigeait en principe d'écriture cette tendance de tout discours à s'approprier les formes codifiées de la langue et, pour certains, à les pousser jusque dans leurs derniers retranchements.

L'analyse recherchera donc les formes de l'image qui se révèlent spécifiques du discours poétique qui les produit.

On peut ainsi étudier la prédilection de Saint-John Perse pour la forme verbale de l'image, et notamment l'usage préférentiel de la préposition *à* pour introduire un complément : «l'oeil **recule** d'un siècle **aux provinces de l'âme**», «les campements **s'annulent aux collines**», «**appuyé** du menton **à la dernière étoile**» (*Vents*, 1945). La polyvalence de la préposition *à* — effective en français : «la faute à Voltaire», «un fils à papa» — est ici exploitée au maximum. L'effet produit est celui d'une indétermination du rapport qui relie les termes entre eux, les valeurs contextuelles prenant alors le pas sur la précision logique de l'expression. Dans le premier exemple, l'oeil recule-t-il **à l'intérieur des provinces de l'âme, à leur vue** ou **jusqu'à elles** ?

André Breton, quant à lui, privilégie plutôt l'image lexicale, particulièrement celle qui utilise un complément déterminatif introduit par la préposition *de :* «**les fleurs de la lessive**», «**les ruches d'illusions**», «**le satin des pierres** et **le velours noir des poissons**», «**les rails de perle**» (*Clair de terre*, «Les reptiles cambrioleurs», 1927). Cette construction, qui apparaît comme un procédé générateur d'entités hétéroclites — «disconvenantes» —

est en fait indissociable de la poétique surréaliste. Le poète travaille dans le champ de la nomination pour construire poétiquement un monde différent, un monde nouveau.

Dans le chapitre sur la ponctuation (p. 53), nous avons vu que la suppression des marques était susceptible de produire des images par mise en contact de mots n'appartenant pas aux mêmes groupes syntaxiques. Ce phénomène est d'autant plus intéressant, qu'il place certains mots en situation sémantique ambivalente, comme les adjectifs dont la valeur change quand ils sont antéposés ou postposés au nom.

Considérons l'adjectif «triste» dans ce vers de Robert Desnos : «Facteur **triste** facteur un cercueil sous son bras» (*Destinée arbitraire,* «Les gorges froides»). En l'absence de ponctuation, le facteur est ici à la fois un «facteur triste» et un «triste facteur». Dans le premier cas, la postposition tend vers la notation objective, l'adjectif venant, après coup, caractériser le nom. Rythmiquement, nous avons deux accents d'intensité : facteur triste. Dans le second cas, l'antéposition a pour fonction essentielle de rendre subjectif le groupe nominal en l'agrégeant au nom. Rythmiquement, il n'y a qu'un accent de groupe : triste facteur. Un «facteur triste», c'est un facteur qui montre les signes de la tristesse. Un «triste facteur» est un facteur que je qualifie de triste, indépendamment de tout critère objectif.

On voit que tout, dans le langage, est susceptible de faire image, tant au plan du lexique qu'à celui de la syntaxe. On peut ajouter le plan graphique, et particulièrement l'usage de la majuscule, qui change les noms abstraits en entités — ce qui est un procédé majeur de l'allégorie : «... l'**Espoir** / Vaincu pleure, et l'**Angoisse** atroce, despotique, / Sur mon crâne incliné plante son drapeau noir» (Baudelaire, *Les Fleurs du mal,* «Spleen»).

APPLICATIONS PRATIQUES

1. L'unité du poème de Paul Eluard, «Au fer rouge», écrit en collaboration avec René Char (v. 1, 2) et André Breton (v. 3, 5), ne repose pas sur la cohérence d'un thème, mais sur l'enchaînement des images, moteur véritable de l'écriture :

> Au fer rouge
> Le regard qui jettera sur mes épaules
> Le filet indéchiffrable de la nuit
> Sera comme une pluie d'éclipse
> Il descendra lentement de son cadre solaire
> Mes bras autour de son cou
> (*Ralentir travaux*, 1930, Gallimard).

Vous relèverez et analyserez les différentes formes de l'image : comparaison, métaphore, qualification et détermination des groupes nominaux, absence de ponctuation (vous vous interrogerez notamment sur la fonction et la valeur du dernier vers).

2. Etude du poème «Et j'irai...» de Jean Moréas, extrait du recueil *Les Cantilènes*, publié en 1886 :

> Et j'irai le long de la mer éternelle
> Qui bave et gémit en les roches concaves,
> En tordant sa queue en les roches concaves ;
> J'irai tout le long de la mer éternelle.
>
> Je viendrai déposer, ô mer maternelle,
> Parmi les varechs et parmi les épaves,
> Mes rêves et mon orgueil, mornes épaves,
> Pour que tu les berces, ô mer maternelle.
>
> Et j'écouterai les cris des alcyons
> Dans les cieux plombés et noirs comme un remords,
> Leurs cris dans le vent aigu comme un remords.
>
> Et je pleurerai comme les alcyons,
> Et je cueillerai, triste jusqu'à la mort,
> Les lys des sables pâles comme la mort.

— Dans le premier vers de ce sonnet, le mot «mer», pris entre la valeur concrète de la locution prépositive «le long de», et la valeur abstraite de l'adjectif «éternelle», apparaît comme le thème d'un mythe. Vous étudierez par quels procédés s'élabore, dans les deux quatrains, un double mouvement allégorique, générateur de ce mythe.

— Le 18 septembre 1886, Jean Moréas publie dans *Le Figaro* un article intitulé «Manifeste du Symbolisme», où il donne cette définition : «La poésie symboliste cherche à vêtir l'Idée d'une forme sensible qui, néanmoins, ne serait pas son but à elle-même, mais qui, tout en servant à exprimer l'Idée, demeurerait sujette. L'Idée, à son tour, ne doit point se laisser voir privée des somptueuses simarres des analogies extérieures ; car le caractère essentiel de l'art symbolique consiste à ne jamais aller jusqu'à la conception de l'Idée en soi».

En vous fondant sur l'analyse des diverses formes de l'image présentes dans ce poème, vous apprécierez comment y est réalisée la dialectique de la «forme sensible» et de l'«Idée».

LECTURES CONSEILLEES

MESCHONNIC Henri,
> *Critique du rythme,* «La poésie par l'image», «Poétique et politique de l'image», Verdier, 1982 ;
> *Les Etats de la poétique,* «Le poème est bleu comme une orange», PUF, 1985.

PAULHAN Jean,
> *Clef de la poésie,* «La querelle de l'image», Gallimard, 1944.

RICOEUR Paul,
> *La Métaphore vive,* «La métaphore et la sémantique du discours», «Le travail de la ressemblance», Le Seuil, 1975.

Pour les figures de rhétorique, consulter les articles : «allégorie», «image», «métaphore», «métonymie», «syllepse», «synecdoque», des ouvrages suivants :

MORIER Henri,
> *Dictionnaire de poétique et de rhétorique,* PUF, 1981.

DUPRIEZ Bernard,
> *Gradus, les procédés littéraires,* UGE, « 10/18 », 1984.

V. Le vers

Le vers est la forme la plus connue de l'écriture poétique, à ce point qu'elle est parfois confondue avec la poésie elle-même. L'histoire des pratiques poétiques montre que le vers est un moment de l'écriture du poème, qu'il n'en est pas l'essence.

1. Définition

Jusqu'à l'avènement du vers-librisme, au XIXe siècle, les conceptions du vers avaient été dominées par l'idée que le vers, lié étymologiquement à la notion de retour *(versus)*, repose sur la répétition de mesures régulières et de rimes.

C'est qu'en fait le vers était confondu avec la notion de mètre. Le vers-librisme, développant une conception du vers comme suite rythmique, non fondée sur la reprise de schémas syllabiques, montrait ainsi que le vers peut ou non être mesuré, c'est-à-dire métrique. Bien que le vers, historiquement, ait pu coïncider avec le mètre, leurs définitions se distinguaient.

Définir la notion de vers apparaît en fait assez complexe. On peut définir le vers comme un fragment de discours constituant une unité métrique ou rythmique — Claudel parlait d'«une idée isolée par du blanc». Ce que l'écriture matérialise par l'identité du vers avec la ligne. Plus qu'une question de présentation ou de longueur de texte, l'*idée de ligne* apparaît, au-delà des contingences matérielles d'édition, consubstantielle au vers. Pour la poésie écrite, en effet, le vers ne peut aller à la ligne sans cesser d'être vers. Quand la longueur d'un vers excède la largeur de la page, les conventions typographiques matérialisent l'idée de ligne soit par l'alignement à droite :

Une famille transporte un édredon rouge comme vous trans-
portez votre coeur
(Guillaume Apollinaire, *Alcools,* «Zone», 1913),
soit par le retrait d'alinéa :

Une famille transporte un édredon rouge comme vous trans-
portez votre coeur ;

contrairement au verset, qui aligne à gauche :

O poète, je ne dirai point que tu reçois de la nature aucune
leçon, c'est toi qui lui imposes ton ordre.
(Paul Claudel, *Cinq grandes odes,* 1910)

L'identité du vers — métrique ou non — et de la ligne constitue,
en réalité, l'expression maximale de cette nécessité qui fait de tout
discours un système linguistique global, fondé sur une logique
interne sémantique et rythmique.

2. Le vers métrique

La notion de mètre désigne la mesure d'un vers, qu'elle soit
exprimée en pieds ou en syllabes. On considère deux types de
poésie métrique : celle qui repose sur la quantité (longueur ou
durée) syllabique, comme la métrique latine, et celle qui repose sur
le nombre de syllabes, comme la métrique française (voir p. 6-7).
Leur statut étant intimement lié à la prosodie de la langue qui les
produit, la métrique française ne peut reposer sur la longueur des
syllabes, puisque celle-ci varie selon la position des mots dans la
phrase, indépendamment de leur sens.

Le syllabisme

On distingue, dans la poésie métrique française, des mètres
simples et des mètres complexes. Les premiers sont des unités
formées de segments autonomes de une à huit syllabes, les autres,
des unités composées de segments simples — ou *hémistiches*
(moitiés de vers) — articulés entre eux par une césure. Voici le
nom des mètres courants :

Mètres simples :   4 syllabes : quadrisyllabe
                      5 syllabes : pentasyllabe

6 syllabes : hexasyllabe
7 syllabes : heptasyllabe
8 syllabes : octosyllabe

Mètres complexes : 9 syllabes :
ennéasyllabe   (5+4 ou 4+5 syllabes)
10 syllabes :
décasyllabe   (4+6, 6+4, 5+5 syllabes)
11 syllabes :
hendécasyllabe   (6+5, 5+6 syllabes)
12 syllabes :
dodécasyllabe   (6+6, 4+8, 8+4, 4+4+4.
La forme 6+6 est appelée alexandrin).

Les schémas syllabiques des mètres complexes proposés ici sont à la fois les plus marqués culturellement et les plus fréquents. Mais on peut imaginer d'autres combinaisons de segments syllabiques (un vers de 10 syllabes en 3+7, par exemple), à condition que chaque segment ne dépasse pas 8 syllabes, qui est le nombre du plus grand vers non césuré. Chaque formule dégagée sera métrique si, dans un poème, elle mesure tous les vers comportant le même nombre de syllabes.

Pour bien analyser un vers métrique, il convient donc de porter une extrême attention au compte des syllabes. Sans développer ici les règles complexes édictées par les théoriciens classiques[1], donnons quelques principes généraux.

Traitement du e «caduc» (ou «muet», «atone», «instable»)

La versification classique l'élide en fin de vers, et, à l'intérieur du vers, devant une voyelle ; mais le compte devant consonne. Voici un alexandrin de Malherbe :

Un courag(e) élevé / toute peine surmont(e).
1   2 3   4 5 6   7 8   9 10 11   12

Quand, à la fin du XIXᵉ siècle, le vers s'assouplit et retrouve une liberté qu'avait connue la poésie médiévale, le e caduc devant consonne peut ne pas être compté. Ainsi, dans l'exemple suivant, le **e** final de «fenêtre», devant «que», est surnuméraire :

---

1. On trouvera, dans les ouvrages données en bibliographie, des renseignements plus complets sur l'histoire de la versification française.

Et nous sommes allés, / sous la mort des feuillages, (6+6)
jusqu'à cette fenêtr(e) / que nous avons ouverte. (6'+6)
(F. Jammes, *Le Deuil des primevères*)

Quand l'amuïssement (disparition dans la prononciation) d'un
e non élidable se fait à la fin d'un mot, il y a *apocope,* quand il a
lieu à l'intérieur d'un mot, il y a *syncope.*

Le traitement du e muet détermine aussi le caractère des césures
dans les mètres complexes. Quand la fin du premier hémistiche est
traitée comme une fin de vers «féminine» — c'est-à-dire que le e
non élidable n'est pas compté (apocope) —, il y a *césure épique*
(métrique médiévale et moderne), comme dans le vers de Jammes
ci-dessus. Quand le e forme la dernière syllabe accentuée du
premier hémistiche, il y a *césure lyrique* (métrique médiévale et
moderne). Ainsi, dans le premier de ces deux alexandrins de
Mallarmé («Tombeau de Verlaine», 1897) :

Nubiles plis l'as**tre** / mûri des lendemains (6+6)
Dont un scintillement / argentera la foule. (6+6)

Un autre problème rencontré dans la métrique classique est le e
après voyelle. Suivant l'évolution phonétique de la langue, qui,
depuis le moyen français, ne le prononce plus (amuïssement), il
n'est plus compté : «J'aime, je l'avou(e)rai, cet orgueil généreux»
(Racine, *Phèdre,* 1677, v. 443). Des poètes, cependant, lui con-
servent une valeur syllabique pour des effets particuliers, comme,
dans l'exemple suivant, le e terminal du mot « vie» devant consonne :

Et tu bois cet alcool / brûlant comme ta vie (6+6)
Ta vie que tu bois / comme une eau de vie (6+6)
(G. Apollinaire, *Alcools,* «Zone», 1913).

On notera également, dans ce dernier vers, l'absence d'élision
du e devant voyelle : «comme une eau de vie».

Traitement de deux voyelles en contact

Deux cas sont à considérer. Soit chacune des deux voyelles est
incluse dans une syllabe distincte, et la prononciation est dite en
diérèse (dic-ti-on), soit la première voyelle prend la valeur d'une
semi-consonne, et forme avec la voyelle qui la suit une seule
syllabe (fouet [fwɛ], nuée [nɥe], lion [ljɔ̃]). La versification
classique suivait en principe les données étymologiques et lisait
en diérèse deux voyelles existant déjà dans le mot source (ou

étymon) : po-ète (du latin «poeta») ; li-on (du latin «leonem»).
Inversement, toute voyelle résultant de la diphtongaison d'une
unique voyelle étymologique était lue en *synérèse : pie*d [pje] (du
latin *pedem*). Dès l'époque classique, l'influence de la prononciation courante a tendance à imposer la lecture en synérèse des hiatus
internes, contre l'avis de Malherbe, qui pratique une stricte diérèse,
faisant entendre le nombre métrique dans les mots : «Je n'ai point
d'autre vœu / que ce qu'elle souhaite» (sou-haite) ; «Le temps est
médecin / d'heureuse expérience» (ex-pé-ri-ence) ; «Nous n'en
sommes tenus / qu'à sa protection» (pro-tec-ti-on).

Mètre et syntaxe

L'imposition de schémas métriques a pour conséquence de
poser le rapport de ces schémas à l'organisation syntaxique du
discours, ce rapport pouvant être de coïncidence ou de conflit.
Dans ces vers de Boileau (*L'Art poétique,* 1672, I, v. 105-106), la
forme réalise ce que dit le sens :

> Que toujours dans vos vers, / le sens, coupant les mots,
> Suspende l'hémistiche, / en marque le repos.

Les unités syntaxiques coïncident avec les limites métriques
que sont la césure et la rime.

Mais ces limites peuvent ne pas coïncider. Ainsi, dans ces vers
de Racine (*Britannicus,* 1669, I, 1, v. 13-14) :

> Britannicus le gêne, Albine ; et chaque jour
> Je sens que je deviens importune à mon tour,

le groupe circonstanciel «chaque jour» et le noyau propositionnel
«je sens» n'appartiennent pas au même vers. On dit que le premier
vers *enjambe* sur le second.

On distingue deux cas remarquables d'enjambement : le rejet et
le contre-rejet. Le rejet prolonge un groupe de mots syntaxiquement
solidaires sur les premières syllabes du vers suivant, comme dans
les deux premiers vers de *Hernani* (1830), de Victor Hugo :

> Serait-ce déjà lui ? C'est bien à l'escalier
> **Dérobé.** Vite, ouvrons. Bonjour, beau cavalier.[1]

---

1. Dans le texte de Hugo, ces deux vers, entrecoupés de didascalies, sont disposés
sur cinq lignes, selon leur organisation syntaxique.

Placé en ouverture de la pièce, ce rejet a fonction de signal pour une écriture pratiquant l'impertinence. Pour Théophile Gautier, «ce mot rejeté sans façon à l'autre vers, cet enjambement auda-cieux, impertinent même semblait un spadassin de profession (…) allant donner une pichenette sur le nez du classicisme pour le provoquer en duel». (Cité par H. Morier).

Symétriquement, le contre-rejet anticipe, à la fin d'un vers, un groupe de mots syntaxiquement solidaires, comme dans ces vers de Corneille (*Cinna,* 1640, II, 2, v. 441-442), où le verbe de propos «j'estime» est détaché de son objet «que ce peu… est l'avis…» par la fin de vers :

> C'est ce qu'en peu de mots j'ose dire, **et j'estime**
> Que ce peu que j'ai dit est l'avis de Maxime.

Le syntagme «j'estime», mis en situation de contre-rejet, dé-place l'intérêt du discours, lequel n'est pas centré sur l'objet du propos — «que ce peu…» — mais se trouve déporté sur le sujet de l'énonciation. Non seulement : «j'estime (que)», mais surtout : «c'est moi qui estime (que)», au sens de : «c'est moi qui parle». Il y a une mise en équivalence — qui est aussi une *estimation* — de «je», trois fois répété («**j**'ose dire», «**j**'estime», «**j**'ai dit»), avec «l'avis de Maxime».

Ce phénomène d'enjambement, *externe* quand il s'effectue de vers à vers, concerne également la césure ; on parle alors d'enjambement *interne*. La césure est dite «enjambante» quand elle se réalise à l'intérieur d'un mot[1], comme dans cet alexandrin de Jules Laforgue (*Les Complaintes,* «Complainte des condo-léances au soleil», 1881, v. 14) :

> L'autre moitié **n'atten / dait** que ta défaillance.

On parle de rejet à la césure (ou *interne*) quand le(s) dernier(s) mot(s) d'un groupe syntaxique développé dans le premier hémistiche débute(nt) le second hémistiche :

> <u>Tu vas sans pouvoir les</u> / **percer,** blême de rage.
>
> (*ibid.,* v. 23)

Inversement, il y a contre-rejet à la césure *(interne)* quand le(s) premier(s) mot(s) d'un groupe syntaxique développé dans le

---

1. On étend à toute césure interne au mot la notion de *césure enjambante,* traditionnellement limitée à la césure devant e caduc non élidé : «avec des champs de pail/le qui sentent la menthe» (F. Jammes).

second hémistiche termine(nt) le premier :

> Et tes couchants **des beaux** / Sept-Glaives abreuvés,
> Rosaces en sang **d'une** / aveugle Cathédrale!
> *(ibid.,* v. 3-4).

On comprend que ces phénomènes, introduisant dans le vers une tension entre mètre et syntaxe, ne peuvent exister que si les deux structures — métrique et syntaxique — sont également maintenues. La césure et la fin de vers sont des lieux métriques que l'enjambement renforce. Cette tension de deux systèmes organisateurs du discours a pour effet une accentuation *signifiante* des éléments de discours concernés. Ainsi, dans ce vers de Baudelaire : «Les jambes en l'air comme / une femme lubrique» (*Les Fleurs du mal,* 1857, «Une charogne»), le mot «comme», syntaxiquement inaccentué, porte par contre l'accent métrique, le poème marquant, par la position de contre-rejet, un mot essentiel de la poétique baudelairienne (voir p. 68). On trouve le mot «comme», conjonction, en position d'accent métrique final (contre-rejet à la rime) chez Du Bellay :

> Vois quel orgueil, quelle ruine : et **comme**
> Celle qui mit le monde sous ses lois
> *(Les Antiquités de Rome,* 1557).

Il convient de préciser que l'accent métrique, situé à la césure et en fin de vers, marque le discours indépendamment de la nature linguistique de la syllabe (voir p. 89). Ainsi, dans ces deux vers de Mallarmé («Hérodiade», 1867) :

> Que, délaissée, elle erre, et sur son ombre **pas**
> Un ange accompagnant son indicible **pas**!

le premier mot à la rime, l'adverbe «pas», syntaxiquement peu accentué — il porte un accent secondaire d'attaque (voir p. 100) — est fortement accentué par la fin de mètre ; il rime avec le substantif «pas», syntaxiquement et métriquement accentué. La structure métrique du vers ne doit donc être effacée ni par l'analyse, ni par la diction.

En contexte métrique, la structure du mètre est toujours première. Elle surdétermine l'organisation du discours, et fait qu'un vers à structure métrique peu apparente se renforce de la structure contextuelle, réalisée dans les autres vers. Considérer de tels vers comme «prosaïques» serait donc une erreur. Au contraire, ils renforcent le mètre en lui conférant une autonomie et une valeur de principe. Comme le précise Benoît de Cornulier, un vers (métrique) n'est jamais vers seul, mis à part le cas particulier de l'alexandrin «circonflexe» (césuré 6+6), repérable comme vers, en raison de sa valeur culturelle et de son isométrie qui fait d'un seul vers un système de deux segments égaux hexasyllabiques, comme dans l'unique vers du poème d'Apollinaire, «Chantre» *(Alcools)* : «Et l'unique cordeau (6) des trompettes marines (6)».

Excepté ce cas particulier, un vers a besoin au moins d'un second vers qui, par identité, dégage le mètre commun. Ainsi, dans les premiers décasyllabes du poème de Verlaine, «Crépuscule du soir mystique» *(Poèmes saturniens,* 1867), les vers 1, 2, 4, 5, 6 constituent, au regard des vers 3, 7, 8, au contour métrique apparemment peu défini, un contexte métrique dégageant comme mètre commun la formule 4+6 syllabes. Nous trouvons ainsi un rejet aux vers 3 («en flamme») et 7 («d'un treillis»), et une césure enjambante au vers 8 («maladive») :

1 Le Souvenir / avec le Crépuscule
2 Rougeoie et tremble / à l'ardent horizon
3 De l'Espérance / **en flamme** qui recule
4 Et s'agrandit / ainsi qu'une cloison
5 Mystérieuse / où mainte floraison
6 — Dahlia, lys, / tulipe et renoncule —
7 S'élance autour / **d'un treillis,** et circule
8 Parmi la **ma / ladive** exhalaison

Ces vers étant métriques, il est indispensable de leur conserver ce qui les rend tels : leur égalité. L'égalité métrique repose sur l'identité du schéma numérique transformant un nombre total de syllabes — ici : dix — supérieur à celui du plus grand mètre non césuré — l'octosyllabe — en une suite de deux segments syllabiques égaux ou inférieurs à huit syllabes. B. de Cornulier montre que des vers métriques complexes sont égaux entre eux non par leur nombre de syllabes, mais par l'égalité respective de leurs hémistiches. En l'occurrence : 4+6 (Verlaine pratique aussi la formule 5+5). Ce serait un contresens total que de lire ce poème selon la distribution de ses groupes syntaxiques, en annulant   rejets internes et enjambements externes, selon ce modèle : «Le Souvenir / avec le Crépuscule / rougeoie et tremble / à l'ardent horizon de l'Espérance en flamme / qui recule / et s'agrandit /»).

Les trois vers à césure enjambante, loin d'être métriquement affaiblis, sont au contraire générateurs d'une tension sémantiquement active. En superposant deux structures ne coïncidant pas entre elles, ils produisent un double marquage : syntaxique, par la dissociation d'éléments solidaires («l'espérance / en flamme») ; accentuel, par l'accentuation métrique de mots syntaxiquement peu accentués («autour»). Dans le cas de «maladive», la césure enjambante dote cet adjectif, que son antéposition au nom qu'il détermine («maladive exhalaison») désaccentue, d'un accent métrique sur la première syllabe, qui lui conserve à la fois la valeur subjective de son antéposition (voir p. 78) et une autonomie sémantique forte.

En conclusion, on retiendra que la mesure d'un vers — sa réalité métrique — ne se confond pas avec l'organisation de ses groupes syntaxiques. Tel vers de Racine (*Bérénice,* 1670, v. 11) : «Vous, Seigneur, importun ? vous, cet ami fidèle» est un alexandrin mesuré 6+6. La suite syllabique correspondant aux accents linguistiques : (1+2+3+1+3+2), est d'un autre ordre (voir p. 100).

L'analyse des vers métriques devra donc tenir compte des relations qu'entretiennent la structure métrique et la structure syntaxique des vers, pour mettre en avant les incidences sémantiques de ces rapports. Cela implique, bien entendu, que la structure syllabique, qui fait le contexte métrique d'un poème, soit repérée — quand elle est repérable.

C'est là que réside la difficulté d'approche de la poésie moderne. Pour prendre l'exemple de l'alexandrin, jusqu'au milieu du XIXᵉ siècle, les vers de 12 syllabes **syntaxiquement** rythmés en 8+4, 4+8, ou 4+4+4 (trimètre dit « romantique»), restaient **métriquement** des alexandrins (6+6), présentant des discordances entre mètre et syntaxe. Philippe Martinon, (*Les Strophes,* 1912) avait souligné que divers accents syntaxiques pouvaient être sensibles dans un vers métrique, à condition que l'accent de la césure soit reconnaissable, «sans quoi, précisait-il, il n'y aurait plus de vers».

Mais à la fin du XIXᵉ siècle, des poètes pratiquant le vers métrique ont écrit des poèmes aux vers dépourvus de mesure tangible. Dans « Mémoire» de Rimbaud (*Derniers vers,* 1972), les quatorze vers qui présentent une structure métrique constante (6+6) ne parviennent pas à imposer un contexte métrique fort aux vingt-six autres vers du poème. A titre d'exemple, voici les deux strophes de la troisième section, dans lesquelles on a matérialisé une césure médiane improbable :

Madame se tient trop / debout dans la prairie
prochaine où neigent les / fils du travail ; l'ombrelle
aux doigts ; foulant l'ombel / le, trop fière pour elle ;
des enfants lisant dans / la verdure fleurie
leur livre de maro / quin rouge! Hélas, Lui, comme
mille anges blancs qui se / séparent sur la route,
s'éloigne par-delà / la montagne! Elle, toute
froide, et noire, court a / près le départ de l'homme!

Si ces vers ne sont pas organisables en segments syllabiques récurrents (quels qu'ils soient : 6+6, 8+4, 3+9…) propres à les rendre comparables, donc identiques, ce n'est certes pas leur nombre total de syllabes — trop grand pour être perçu globalement — qui peut leur servir de mesure commune. En effet, si aucune mesure interne fixe n'est perceptible, comment décider que ces vers sont égaux, et qu'ils comportent tous 12 syllabes (et pas 10, ou 11 : « mille ang(e)s blancs qui se sépar(e)nt sur la route»), sinon en comptant les syllabes une par une ? Il n'est donc pas certain que ces vers de Rimbaud soient véritablement métriques.

Les strophes

Le principe métrique, qui s'applique en premier lieu aux vers, s'étend également aux groupes de vers, qu'il organise en *strophes*.

On donne souvent le nom de *strophe* à toute suite de vers séparée d'une autre par un blanc typographique. Cette définition, large, provient en grande partie de la « strophe rythmique» des vers-libristes, qui désignait un groupe de vers composé de séquences accentuelles récurrentes ou non (voir p. 99). On peut, dans ce sens, lui préférer le terme de *laisse*. Mais, au sens strict, la notion de strophe désigne un ensemble de vers structuré selon un schéma particulier de rimes et, éventuellement, de mètres. La strophe ne nécessite donc, pour être distinguée d'une autre, aucun repérage typographique particulier. En conséquence, l'usage du blanc ou de l'alinéa reste facultatif.

Les rimes

La rime se définit par la répétition, en fin de vers, de la dernière voyelle accentuée — syntaxiquement ou métriquement (voir p. 113) — et de ce qui la suit (consonnes, e caduc).

La versification classique prescrivait l'alternance de rimes *féminines,* c'est-à-dire terminées par un e caduc (secrète-poète) éventuellement suivi de consonnes non prononcées (cessèrent-restèrent) et de rimes *masculines,* à savoir toutes les autres (agrément-triste**ment,** cap**tif-rétif,** beau**té-naïveté**...). A ce système fondé sur la graphie — l'époque classique ne prononçait plus le e final —, le XIXe siècle substituera un système reposant sur la prononciation effective, et pratiquera l'alternance de rimes vocaliques (pa**ri-gué**rie) et consonantiques (che**r-pè**re).

D'autres éléments interviennent traditionnellement dans la description des rimes, comme la qualité (rimes *pauvres,* consistant dans la répétition de la voyelle accentuée et, éventuellement, des consonnes qui suivent : **jour-amour** ; rimes *riches,* où les phonèmes qui précèdent sont également répétés : **borné-orné**), ou la formation de figures particulières (dans les *rimes batelées,* par exemple, la fin du vers rime avec la fin de l'hémistiche suivant). Etant des cas particuliers d'échos phoniques, ces éléments se révèlent en soi peu productifs pour l'analyse. On ne s'y arrêtera donc pas, renvoyant, pour une description détaillée, au livre de J. Mazaleyrat cité en bibliographie.

Les structures

L'idée de structure impliquant une combinaison fermée des rimes, la mise en rimes **plates** (ou **suivies**) — schéma **a a b b**... — est insuffisante pour constituer une strophe *stricto sensu.* Les rimes véritablement strophiques seront donc **croisées (a b a b)** ou **embrassées (a b b a).**

Quand le nombre de vers est supérieur à quatre, le schéma des rimes est plus élaboré. Ainsi les «Stances sur la mort de Marie» (1578), de Ronsard, sont construites sur le schéma **a a b c c b** :

> Je lamente sans réconf**ort,**
> Me souvenant de cette m**ort**
> Qui déroba ma douce **vie** ;
> Pensant en ses yeux qui sou**laient**
> Faire de moi ce qu'ils vou**laient,**
> De vivre je n'ai plus d'en**vie**...

La strophe prend un nom différent selon le nombre de vers qu'elle comporte (traditionnellement, de quatre à douze) : *quatrain, quintil, sixain, septain, huitain, neuvain, dizain, onzain, douzain.* Pas plus que le *distique,* ou suite de deux vers (a a, ou a b), le *tercet,* groupe de trois vers, ne constitue une strophe, dans la mesure où une rime, nécessairement isolée (a a **b**, ou a **b** a, ou **a** b b), attend sa résolution dans un vers complémentaire. Pour prendre l'exemple du sonnet, les deux tercets constituent en fait deux demi-sizains construits sur des schémas variés, traditionnellement : **a a b c c b**, ou **a a b c b c**.

Césure strophique

La strophe est une unité métrique. Comme le vers, elle se compose de segments articulés entre eux par une césure, et présente des phénomènes d'enjambement. Là encore, c'est la relation entre structure syntaxique et structure métrique (strophique) qu'il convient d'analyser, relation déterminante du mode de signifier du poème.

A l'image du vers, la strophe classique fait concorder structure syntaxique et structure métrique, la fin de strophe et la césure strophique distribuant phrases et propositions en deux unités sémantiques complètes. Comme dans le vers, la césure articule deux mesures — qui sont ici des schémas de rimes. Dans ce huitain de Voiture (*Stances,* vers 1645), la césure articule deux quatrains à rimes croisées (**a b a b / c d c d**). Au plan du discours, elle est marquée par le connecteur «mais», qui introduit un argument restrictif :

> Je pensais que la desti**née**
> Après tant d'injustes rigu**eurs,**
> Vous a justement couron**née**
> De gloire, d'éclat et d'honn**eurs,**
> **Mais** que vous étiez plus heu**reuse**
> Lorsque vous étiez aut**refois,**
> Je ne veux pas dire amou**reuse,**
> La rime le veut tou**tefois.**

Quand une strophe présente un schéma complexe, la césure s'adjoint alors des césures secondaires, comme dans ce dizain de Corneille (*L'Imitation de Jésus-Christ,* 1652), où la césure principale, articulant un quatrain à rimes embrassées (**a b b a**) et un sizain au schéma binaire (**c c d e d e**), s'adjoint deux césures secondaires, articulant binairement chacun des deux ensembles (**a b / b a // c c d / e d e**):

> 1   Pour t'élever de terre, homme, il te faut deux **ailes,**
> 2   La pureté du coeur et la simplici**té ;**

3   Elles te porteront avec facilité
4   Jusqu'à l'abîme heureux des clartés éternelles ;
5   Celle-ci doit régner sur tes intentions,
6   Celle-là présider à tes affections,
7   Si tu veux de tes sens dompter la tyrannie :
8   L'humble simplicité vole droit jusqu'à Dieu,
9   La pureté l'embrasse, et l'une à l'autre unie
10 S'attache à ses bontés, et les goûte en tout lieu.

Ici, les césures coïncident avec les articulations de l'argumentation. Le quatrain énonce le thème du propos en deux volets : nécessité éthique des vertus (v. 1-2), et finalité de cette conduite (v. 3-4) ; le sizain reprend, en les développant, chacun de ces deux moments argumentatifs (v. 5-7 et v. 8-10).

La strophe devant constituer, à l'image du vers (métrique), un ensemble syntaxique et sémantique complet, l'enjambement d'une strophe sur une autre, ou d'une demi-strophe sur une autre, représente donc un facteur de tension entre deux systèmes discordants, dont il faut mettre en évidence les effets sémantiques. La discordance est d'autant plus forte qu'elle affecte la frontière de strophe ; cela explique qu'avant le XIXe siècle, seul l'enjambement interne (à la césure) ait été pratiqué, à l'image de ce sonnet de Du Bellay *(Les Antiquités de Rome)*, où le premier tercet du sizain enjambe sur le second :

Et comme on voit la flamme ondoyant en cent lieux
Se rassemblant en un, s'aiguiser vers les cieux,
Puis tomber languissante : **ainsi parmi le monde**
Erra la monarchie : et croissant tout ainsi
Qu'un flot, qu'un vent, qu'un feu, sa course vagabonde
Par un arrêt fatal s'est venue perdre ici.

Ce n'est qu'au XIXe siècle que fut pratiqué l'enjambement externe — Ph. Martinon le détecte dès la fin du XVIIIe siècle —, comme dans le sonnet de Verlaine, «Le squelette», *(Jadis et naguère,* 1885), où le deuxième quatrain enjambe sur le premier tercet du sizain :

La tête, intacte, avait ce rictus ennemi
Qui nous attriste, nous énerve et nous agace.
Or, peu mystiques, nos capitaines Fracasse
Songèrent (John Falstaff lui-même en eût frémi)
Qu'ils avaient bu, que tout vin bu filtre et s'égoutte;

> Et qu'en outre ce mort avec son chef béant
> Ne serait pas fâché de boire aussi, sans doute.

L'effet de discordance produit par l'enjambement se trouve en outre renforcé par la proposition incidente, qui accentue la disjonction entre le verbe «songèrent» et son complément «qu'ils avaient bu», réalisant, au plan de l'énonciation, le scandale de la pensée profanatrice mis en scène dans le poème.

L'étude des strophes d'un poème pourra, pour être complète, tenir compte d'impératifs annexes, comme le principe d'alternance, selon lequel, en poésie classique, la rime du dernier vers d'une strophe ne doit pas être du même genre (masculin, féminin) que celle du premier vers de la strophe suivante. Mais l'essentiel réside dans la mise au jour des rapports entre métrique et syntaxe.

Les poèmes à forme fixe

Composés de strophes disposées selon un ordre précis, les poèmes à forme fixe représentent la forme maximale de la poésie mesurée, la réalisation achevée de la mesure comme principe de composition poétique. L'étude des poèmes à forme fixe demande, pour n'être pas une simple description formaliste, la prise en compte de l'historicité des poèmes, c'est-à-dire de l'histoire des formes, certainement, mais surtout de la relation de ces formes aux discours particuliers qui se les approprient et en font des poèmes. Une telle étude, on le comprend, déborderait largement les limites de ce volume. On se contentera donc d'esquisser une histoire de l'emploi de ces formes, en renvoyant, pour une étude détaillée, aux ouvrages indiqués en bibliographie.

Alors que dans les *chansons de geste* médiévales le nombre des laisses (voir p. 7) était théoriquement infini — le jongleur en ajoutant ou en retranchant, selon son interprétation (invention) du poème —, d'autres formes poétiques présentaient des séquences strophiques précises. Citons le *virelai,* la *ballade* et le *rondeau,* poèmes qui comportaient un refrain de longueur variable ; le rondeau ayant en outre la particularité de reprendre tout ou partie de son premier vers dans le dernier.

Les poètes de la Pléiade, à l'image de Du Bellay (*Défense et illustration de la langue française,* 1549), méprisèrent ces formes, dans lesquelles ils ne virent qu'exercices formalistes et ludiques (voir p. 14). L'Antiquité, qui fut leur source principale d'inspiration — «feuillette de main nocturne et journelle les exemplaires Grecs et Latins» *(ibid.)* —, leur fournit la forme de l'*ode* : «Chante-moi ces odes inconnues encore de la Muse française, d'un luth bien accordé au son de la lyre grecque et romaine», et ils empruntèrent à l'Italie médiévale celle du *sonnet* : «Sonne-moi ces beaux sonnets, non moins docte que plaisante invention italienne».

Primitivement, chez le poète grec Pindare (Ve siècle av. J.-C.), l'*ode* se composait d'une *strophe,* d'une *antistrophe,* et d'une *épode,* mais l'ode pratiquée par les poètes de la Pléiade et leurs successeurs fut une forme relativement libre de règles d'agencement strophique.

Quant au *sonnet,* on a vu (p. 16) que ce poème se compose de deux quatrains suivis d'un sizain divisé en deux tercets. Les diverses formes de sonnet répertoriées présentent essentiellement des variations concernant le nombre et la combinaison des rimes, mis à part le sonnet anglais, qui se compose de trois quatrains suivis d'un distique (groupe de deux vers) à rimes plates[1].

Les poètes romantiques réintroduiront les formes médiévales dans le catalogue des poèmes à forme fixe, mais continueront à pratiquer l'ode et le sonnet. Mentionnons également l'emprunt fait à la poésie malaise de la forme *pantoum* ou *pantoun,* poème composé de quatrains dont les 2e et 4e vers deviennent les 1er et 3e du quatrain suivant, selon une formule croisée (**a b a b**). Morier cite un pantoum de Leconte de Lisle, dont voici les strophes 5 et 6 :

	Il s'engouffre au fond des ravines,
a	Parmi le fracas des torrents.
	Le coeur plein de chansons divines
b	Monte, nage aux cieux transparents!
a	Parmi le fracas des torrents
	L'arbre éperdu s'agite et plonge.
b	Monte, nage aux cieux transparents
	Sur l'aile d'un amoureux songe!

L'analyse de ce paramètre supplémentaire que constitue, dans un poème, le modèle auquel il se conforme, devra, comme pour le vers et la strophe, tenir compte du rapport entre la contrainte de la forme (la mesure), et la syntaxe du discours qui l'intègre à son

---

1. Consulter à ce sujet l'article «Sonnet» du *Dictionnaire de poétique et de rhétorique* de Henri Morier.

énonciation. Pour ne prendre qu'un exemple, la combinatoire strophique du pantoum a une incidence immédiate sur le contexte syntaxique et sémantique de chaque quatrain. Elle fait que, dans l'extrait ci-dessus, les deux verbes du vers **b** changent de mode en changeant de quatrain : indicatif dans le premier («Le coeur... monte, nage...»), impératif dans le second («Monte, nage...! »).

3. Le vers-libre

Il faut distinguer le *vers libre* des poètes classiques, du *vers-libre* des symbolistes et, plus généralement, des poètes qui ont écrit depuis la fin du XIXe siècle. Le vers libre classique était un vers hétérométrique, c'est-à-dire qui combinait dans le poème plusieurs mètres : hexasyllabe, octosyllabe, alexandrin... Ce vers restait un vers métrique, mais *employé librement,* sans être astreint à une mesure unique. Dans le vers-libre symboliste, par contre, «libre» qualifie le principe même du vers, et signifie : *libre de toute mesure préétablie*. On distinguera le second du premier par la graphie avec trait d'union : *vers-libre,* suivant en cela des auteurs comme Jules Romains, René Ghil ou Jean Hytier[1].

Examinons tout d'abord la conception classique du «vers libre».

Les vers mêlés

L'expression de «vers mêlés», employée quelquefois pour désigner les vers hétérométriques classiques, conviendrait mieux que «vers libres», puisque ces vers ne sont «libres» que de l'imposition d'une mesure unique, et non du principe même qui les rend métriques. Voici, par exemple, un extrait de la fable de La Fontaine «L'avantage de la science», composée de trois mètres : le trisyllabe (v. 13), l'octosyllabe (v. 10, 11, 12, 14, 15), l'alexandrin (v. 9, 16) :

---

1. La graphie avec trait d'union a l'avantage de lier fondamentalement le vers et son principe — à défaut d'utiliser la graphie *verslibre,* en un seul mot, qui n'est pas attestée.

9	C'était tout homme sot ; car pourquoi révérer	(6+6)
10	Des biens dépourvus de mérite ?	(8)
11	La raison m'en semble petite.	(8)
12	«Mon ami, disait-il souvent	(8)
13	Au savant,	(3)
14	Vous vous croyez considérable ;	(8)
15	Mais, dites-moi, tenez-vous table ?	(8)
16	Que sert à vos pareils de lire incessamment ?»	(6+6)

Comme La Fontaine, d'autres poètes, dont Corneille et Molière, ont employé les vers mêlés pour obtenir un effet de «discours ordinaire», selon l'expression de Corneille, «parce que parmi notre langage commun il se coule plus de ces vers inégaux, les uns courts, les autres longs (...) que de ceux dont la mesure est toujours égale» (*Andromède*, Examen, 1660). En somme, les vers inégaux tentaient d'infléchir le poème vers le langage parlé, confondu à l'époque avec la «prose». La Fontaine justifie ainsi leur utilisation dans ses *Contes* : «les vers irréguliers ayant un air qui tient beaucoup de la prose, cette manière pourrait sembler la plus naturelle» (cité par Morier).

Mais l'utilisation de vers hétérométriques présente un risque pour le principe métrique du vers. En effet, en multipliant les mesures différentes dans un même poème, il n'est pas certain qu'elles soient toutes, et toujours, perceptibles ; surtout quand deux vers faisant contexte entre eux — cela pour que le mètre soit manifeste — sont éloignés l'un de l'autre. Ainsi, dans cet extrait d'un poème de Racan (*Stances, 1628*), l'imbrication des hexasyllabes, octosyllabes, et pentasyllabes, rend difficile un sentiment métrique immédiat, malgré l'artifice de la typographie, qui indique par l'alinéa les vers métriquement appariés :

1	Cette ingrate beauté	(6)
2	A mis fin à sa cruauté ;	(8)
3	Ses yeux, dont la flamme	(5)
4	Eclairait mon âme,	(5)
5	Ont reconnu ma foi	(6)
6	Et ne luisent plus que pour moi	(8)

L'éloignement des deux hexasyllabes (v. 1-5) rend particulièrement discordant le passage de la mesure pentasyllabique à la mesure hexasyllabique (v. 4-5). De la même façon, au début de la fable «L'Avantage de la science», La Fontaine intercale, dans une suite de treize octosyllabes (v. 1-15), un alexandrin (v. 9) qui ne trouvera son pendant que sept vers plus loin (v. 16), et un vers de trois syllabes (v. 13), seul de son espèce dans le poème. Le système des rimes, ne coïncidant pas avec la distribution des vers, ne peut suppléer une incertitude métrique *provoquée* pour introduire dans le poème le rythme irrégulier de la parole «ordinaire».

Le vers-libre

Dans les années 1880, des poètes ont passé pour être les inventeurs du vers-libre, parce qu'ils en proclamaient l'avènement : Marie Krysinska («Symphonie en gris», 1882), Gustave Kahn (*Les Palais nomades, 1887*), ou Francis Vielé-Griffin — lequel déclare solennellement dans son recueil *Joies* (1889) : «Le vers est libre!». En fait, ces professions de foi étaient des prises de conscience individuelles d'un phénomène en cours depuis Victor Hugo, et porté à son point extrême par Verlaine et Rimbaud : la désorganisation de l'alexandrin et, à travers lui, du principe métrique.

Le vers-libre, avant d'être une forme, est un travail critique sur la poésie. Les vers-libristes abandonnent le principe de la métrique syllabique, que Théodore de Banville avait accusé de produire des «vers muets, sourds, (…) incolores et fades, taillés sur un patron unique» (*Petit traité de poésie française, 1872*). Libéré de la contrainte métrique, le vers devenait alors propre à incarner cet «idéal du *poème moderne*» que Banville appelait de ses voeux : «il serait complexe comme notre vie, ailé comme nos aspirations»*(ibid.).*

L'objectif majeur que les théories vers-libristes se sont donné est de réintégrer dans le poème une subjectivité que les conceptions métriques de la poésie avaient tenue écartée de son propre discours : «ce fut un effort pour substituer le rythme émotif au rythme plastique» (J. Royère, revue *Pan,* jan.-fév. 1908).

C'est donc d'une conception globale de la poésie qu'il s'agissait, et essentiellement de la place du sujet d'énonciation dans le poème. Le point de vue est en effet différent selon qu'on surdétermine ou non le rythme de son discours par le retour régulier de schémas numériques. Dans le premier cas, le sujet impose à son énonciation un cadre accentuel qu'il ne peut s'approprier que dans les limites du maintien de ce cadre (discordance entre mètre et syntaxe, par exemple) ; dans le second, l'accentuation du poème est contemporaine de son énonciation, et n'est donc pas prévisible.

Cette mise en accord du rythme du sujet et du rythme du poème allait s'opérer par la conjonction de l'étude de la poésie et de l'étude du langage. Ce retour aux sources de la parole, que les poètes symbolistes avaient pratiqué empiriquement au titre de la musicalité, les linguistes phonéticiens G. Lote, P. Verrier, R. de Souza, A. Spire, disciples de J.-P. Rousselot (*Principes de phonétique expérimentale,* 1897-1909), allaient en établir scientifiquement les données.

Le vers-librisme pose *l'accent* comme élément fondamental de l'organisation du vers : «Ce qui est essentiel dans le vers français, c'est non pas le nombre des syllabes, ni la césure, ni la rime, ni aucun autre artifice, mais le rythme. Mais en quoi consiste le rythme ? Dans l'accent.» (A. Spire, «Sur la technique du vers français», 1912).

L'accent

L'accent, étant lié constitutivement au discours qui s'énonce, ne peut constituer un élément organisateur du vers que dans la mesure où celui-ci ne se trouve pas programmé par un schéma métrique préalable, lequel, par définition, prime les autres modes d'organisation du langage. Dans la versification classique, le rythme (accentuel) n'avait donc pas une fonction structurelle, mais un rôle (métriquement) subalterne d'«harmonisation» et d'expressivité.

Quand le vers n'est plus mesuré, ce sont les composantes accentuelles du discours qui prennent en charge l'organisation rythmique — et sémantique — du poème. Ces composantes sont essentiellement de nature syntaxique et prosodique.

L'accent syntaxique (ou : linguistique, rythmique, tonique)
En français, l'accent syntaxique — renforcement d'intensité, de durée (longueur), de hauteur (mélodie, intonation) — frappe la dernière syllabe prononcée d'un groupe de mots formant ensemble une unité phonologique et syntaxique. Examinons l'accentuation de deux vers de Racine (*Bérénice,* 1670, v. 179-180). On notera par un trait horizontal (—) les syllabes accentuées, et par le signe (‿) les autres syllabes :

‿ ‿‿ —   — — ‿ ‿— ‿ ‿—
Que dites-**vous** ? **Ah**! **ciel**! quel a**dieu**! quel lan**gage**!
— ‿ ‿ ‿ ‿ — ‿ ‿ — ‿ ‿ —
Prince, vous vous trou**blez** et chan**gez** de vi**sage**!

Chaque syllabe accentuée termine un groupe syntaxiquement et phonologiquement autonome, deux fois réduit à un monosyllabe : groupe à noyau verbal («Que dites-**vous**», « vous vous trou**blez**», «et (vous) chan**gez**»), groupe objet («de vi**sage**»), groupe exclamatif («**Ah**!», «**ciel**!», «quel a**dieu**!», «quel lan**gage**!»), apostrophe («**Prin**ce»).

Des règles d'accentuation sont à connaître, comme celle qui différencie un adjectif antéposé, inaccentué, d'un adjectif postposé, accentué. Pour faire le point sur la question, voir l'ouvrage de J.-C. Milner et F. Regnault, cité en bibliographie.

D'autre part, tout groupe syntaxique constituant une unité logique, reçoit un accent secondaire sur la première syllabe du premier mot accentuable (en général, les proclitiques[1] ne sont pas accentuables). Cet accent secondaire, qu'on nommera *accent d'attaque*, est parfois appelé « contre-accent» (mais une confusion terminologique est possible : voir p. 114). On le notera par un trait oblique surmontant une syllabe inaccentuée : ⌣. Dans l'exemple qui suit, les groupes logiques sont délimités par des barres verticales :

⌣ —   ⌣ —   —   —

Je **son**geais, | sous l'**obs**cur de la nuit endormie, |

⌣ —   —   ⌣   —   —

Qu'un **sé**pulcre entr'ouvert | s'**ap**paraissait à moi
(Ronsard, «Sur la mort de Marie», 1578).

L'accent prosodique

Il est produit par la répétition des phonèmes, indépendamment de la nature grammaticale ou syntaxique des mots concernés. Ce sont les linguistes phonéticiens qui ont mis en évidence le rôle accentuant des échos phoniques, mais sans toujours considérer leur effet sur la signification du poème. Henri Meschonnic, pour qui «la prosodie est une signifiance» *(Critique du rythme)*, fait de l'accent prosodique un élément rythmique fondamental du discours, en ce qu'il organise les unités de sens (mots et groupes de mots) selon des séries signifiantes pouvant communiquer entre elles.

---

1. *Proclitique :* mot, généralement monosyllabique, qui s'unit au mot qui le suit, et dont il dépend syntaxiquement, pour ne former qu'un groupe accentuel : «tu» dans «tu viens». Un *enclitique* s'unit au mot qui le précède : «tu» dans l'inversion «viens-tu ?».

Dans ce vers de Henri Michaux : «un ciel parce qu'il n'y a plus nulle part où poser la tête», («Où poser la tête ?», *Déplacements, dégagements*, Gallimard,1985), les accents prosodiques majeurs organisent les mots en chaînes de signification parfois parallèles. Nous trouvons des réseaux consonantiques en [p] : **p**arce qu', **p**lus, **p**art, **p**oser ; en [l] : cie**l**, i**l** (n'y a), p**l**us, nu**ll**e, **l**a (tête) ; en [s] : **c**iel, par**c**e qu'; en [n] : **n**'y a, **n**ulle ; des réseaux vocaliques en [ɛ] : ci**e**l, t**ê**te ; en [a] : p**a**rce, (il n'y) **a**, p**a**rt, l**a** (tête).

L'unité de ce vers repose sur son accentuation, qui le resserre sur lui-même au triple plan syntaxique, prosodique et sémantique. C'est en effet un point important pour l'analyse, de considérer que les accents, en même temps qu'ils font le «serré» rythmique d'un vers, d'un poème, remplissent une fonction sémantique essentielle. A. Spire disait que «les accents se posent sur les crêtes du sens» (*Plaisir poétique et plaisir musculaire*, 1949). En fait, la théorisation linguistique du vers-libre a permis de comprendre que, dans tout discours, sens et accentuation sont indissociables.

Nous donnons maintenant, en additionnant les accents syntaxiques et prosodiques, l'accentuation de ce vers. Pour ne pas multiplier les signes graphiques, on notera l'accent prosodique de la même manière que l'accent d'attaque : ◡́ . Lorsqu'une syllabe reçoit à la fois un accent syntaxique et un accent prosodique, la notation indique seulement le premier , comme dans le mot «ciel», surmonté ici d'un trait horizontal. On fait également figurer en gras les lettres représentant les phonèmes touchés par l'accent prosodique :

◡ —   ◡́   ◡́ ◡◡́ —   ◡́   —   ◡◡́ ◡ ◡́ —

un ciel | **parc**(e) qu'**i**l n'y **a** plu**s** null(e) **part** | où po**s**er **la** tête.

Le vers «tient», d'abord par le rapport des deux lexèmes extrêmes : «ciel» et «tête». Accentués syntaxiquement, ils sont mis directement en relation prosodique par leur phonème commun [ɛ], qui les apparie phoniquement à la façon d'une rime, et sémantiquement à la manière d'une métaphore. Ensuite, le vers se replie sur son centre sous l'action fermante du groupe syntaxique «parce qu'il n'y a plus nulle part», l'expression de la cause et celle de l'absence se répondant phoniquement («**par**ce qu'… nulle **part**»), et syntaxiquement (accent d'attaque : «p̄árce qu'», accent de groupe : «nulle p̄art»).

L'accentuation prosodique, qui «sélectionne» les phonèmes générateurs de relations sémantiques, favorise la formation de

figures, qui sont des dispositions particulières de ces phonèmes.
Ici, à côté d'une figure de simple redondance, qui met phoniquement
— et sémantiquement — en écho les mots «ciel par ce qu'» et «nulle
part», une autre figure, en miroir, referme le vers sur lui-même à
partir d'un axe prosodique et sémantique central : «a plus nulle part»
[aply-ylpa], qui place en regard, par un écho renversé, deux
expressions négatives[1].

Ainsi, en substituant à la structuration métrique du vers son
organisation accentuelle, le vers-librisme n'assimilait plus écriture du poème et technique de versification, mais faisait reposer
l'idée de poésie sur la cohérence d'un rythme personnel et varié.

Le vers libéré

En réaction aux recherches des vers-libristes, jugées «anarchis-
tes», des poètes — quelques uns groupés sous le nom d'*Ecole
française* (1902) — pratiquèrent un vers de compromis, alliant le
respect de la mesure syllabique à une relative souplesse concernant
certaines prescriptions de la versification classique, comme l'alternance des rimes, la rime pour l'oeil, et l'interdiction de l'hiatus
entre les mots. Un tel vers, qualifié de «libéré», ne l'était pas, en
fait, de ce qui différencie fondamentalement le vers-libre du vers
traditionnel : le principe métrique.

En ce sens, les poèmes de Jules Romains (*La Vie unanime,*
Gallimard,1926), dans lesquels une théorie complexe d'*accords*
renouvelait la conception classique de la rime, ne portait pas
atteinte à la «carrure» métrique du vers :

1 Le soleil ne peut pas réjouir la caserne.
2 Elle souffre. Pourtant on la croirait heureuse (...)
3 Les murs crépis de chaux semblent ne recevoir
4 Que les plus purs rayons qui soient dans la lumière (...)
5 Les couloirs sont parsemés **de boue** : il a plu
6 Hier, le soir ; et ceux qui balayent s'exténuent ;
7 D'autres sur les pal**iers**, accroupis ou **debout**,
8 Ont la sueur au front en raclant des soul**iers** (...)

---

1. On trouvera, dans l'ouvrage de Henri Meschonnic signalé en bibliographie,
d'autres exemples d'analyse accentuelle. Voir également, plus loin, le chapitre
sur le rythme.

Ces trois extraits du poème «La caserne» présentent plusieurs types d' accords : consonantique (3-4 : recevoir-lumière), vocalique (5-6 : plu-exténuent), renversé (1-2 : caserne-heureuse), avancé (5-7 : de boue-debout, 7-8 : paliers-souliers) — dans le dernier cas, l'accord est «avancé» de plusieurs syllabes dans l'un des deux vers qui forment couple.

Au plan de l'innovation poétique, ces vers restent en retrait des poèmes en vers-libres de Rimbaud, *Marine* et *Mouvement* (1873) :

> Le mouvement de lacet sur la berge des chutes du fleuve,
> Le gouffre à l'étambot,
> La célérité de la rampe,
> L'énorme passade du courant
> Mènent par les lumières inouïes
> Et la nouveauté chimique
> Les voyageurs entourés des trombes du val
> Et du strom.

Ces premiers vers du poème *Mouvement* montrent un travail prosodique anticipant la théorie des accords de J. Romains : **rampe-courant**, **inouïes-chimique**, **trombes-strom** (avec, dans ce cas, une opposition vocalique : nasalisé-non nasalisé).

Les systèmes hybrides

On a accusé les poètes vers-libristes de n'être pas, dans leur pratique, à la hauteur de leurs prétentions théoriques, leurs vers paraissant parfois plutôt des vers métriques «libérés», que des vers-libres.

Mais si l'on regarde de près les œuvres incriminées, on s'aperçoit que beaucoup présentent des systèmes hybrides, dans lesquels des vers mesurés voisinent avec des vers qui ne présentent aucune marque de régularité métrique.

Les poèmes de Francis Vielé-Griffin exploitent à ce point les vers hétérométriques, que par moments plus aucune régularité n'est perceptible, le vers perdant alors son caractère métrique, comme dans le début du poème «In memoriam» (*Joies,* 1889) :

1	Les roses penchées	(5)
2	Au grès roux des balustres	(6)
3	Pleurent au flot virant leurs pétales de sang,	(6+6)

4   — Les rives en sont tout enjonchées —   (5+4)
5   Les folioles enguirlandent en passant   (6+6) ?
6   Tes corolles lacustres,   (5)
7   Blanc nénuphar éblouissant.   (8)

Cet effet de «brouillage métrique», pour reprendre une expression de Jacques Roubaud *(La Vieillesse d'Alexandre)* se trouve accentué, comme l'a montré B. de Cornulier, par la juxtaposition de mètres ou de segments métriques n'ayant entre eux qu'une syllabe de différence : v. 1-2 : (**5**)-(**6**) ; v. 3-4 : (6+**6**)-(**5**+4). Cet effet de boitement rendant non pertinente la mesure syllabique comme principe structurel du vers, c'est l'accent qui en assume la fonction.

Le verset

Il faut dire un mot de la notion de verset. Originellement, elle désigne chacune des sections numérotées, et matérialisées par l'alinéa, qui composent le texte de la *Bible* et d'autres livres sacrés :

> **4** Une race passe, et une autre lui succède, mais la terre demeure toujours.
> **5** Le soleil se lève et se couche, et il retourne d'où il était parti : et renaissant du même lieu,
> **6** il prend son cours vers le midi, et revient vers le nord. Le souffle du vent tournoie de toutes parts, et il revient sur lui-même par de longs circuits.
> («Le livre de l'Ecclésiaste», ch. I, Traduction de Le Maistre de Sacy, XVIIᵉ siècle, d'après la *Vulgate* de saint Jérôme).

Le verset hébraïque repose sur un agencement complexe d'accents, qui font à la fois la diction du texte, et l'organisation de sa signification. Deux dispositions typographiques ont été proposées par les traducteurs pour marquer ce rythme accentuel à l'intérieur de chaque verset : l'alinéa et le blanc. Voici, sur le verset **6**, ces deux solutions graphiques :

> Le vent va vers le midi,
> tourne vers le nord,
> il tourne, tourne, va
> et le vent reprend ses tours.
> (Traduction d'Antoine Guillaumont,
> Gallimard, 1959).

```
Il va          vers le sud        et tourne      vers
le nord
                    Tourne tourne              va le vent
            et ses détours        retourne le vent
            (Traduction de Henri Meschonnic, Gallimard, 1970).
```

La définition du verset est donc d'ordre typographique *et* rythmique. Typographiquement, le verset est marqué par le retrait d'alinéa ; en cela, il ne se distingue pas du paragraphe. Mais le verset n'est pas le paragraphe de la poésie. C'est pourquoi la seule définition typographique est incomplète.

N'étant pas tenu au retour à la ligne, le verset n'a pas la longueur comme paramètre distinctif. Il peut donc être égal, supérieur, ou inférieur à la ligne. Comme il n'intègre pas dans sa spécificité cette idée de «ligne», caractéristique du vers, il doit son unité à son organisation rythmique, qui nécessite donc d'être plus «serrée» que celle du vers. (Voir sur ce point R. de Souza, *Du rythme en français,* 1912).

Des auteurs — comme Jean Mazaleyrat— distinguent le verset métrique et le verset non métrique. Le verset de Saint-John Perse, par exemple, est métrique en ce qu'il fait se succéder des segments syllabiques de mesures récurrentes, qui coïncident, «classiquement», avec les divisions syntaxiques du discours. Ainsi dans cet extrait d'*Amers* (Gallimard,1957) :

> Les Tragédiennes sont venues, (8) descendant des carriè-res. (6) Ell(e)s ont levé les bras (6) en l'honneur de la Mer (6) : «Ah! nous avions mieux auguré (8) du pas de l'homme sur la pierre!» (8)

Le verset non métrique, comme celui de Paul Claudel, s'orga-nise rythmiquement et sémantiquement par le jeu de l'accentua-tion syntaxique et prosodique :

> — — ᴗ ᴗ ᴗ— —ᴗ ᴗ ᴗ— ᴗ ᴗ ᴗ
>
> **O** vent sur le **dé**sert! ô ma bien-**ai**mée pa**rei**lle aux
> ᴗ — ᴗ ᴗᴗ—
> quadrig(e)s de Phara**on**! (*Cinq grandes odes,* IV).

On peut être réservé sur une telle distinction, qui postule l'existence d'un «verset métrique». Si la spécificité du verset réside dans un «serré» rythmique — libéré de la ligne —, il ne semble pas que la distribution métrique du discours soit de nature à le produire. En effet, les segments de syllabes successifs organisant l'énoncé selon la récurrence de leur nombre syllabique, on ne voit pas qu'ils fonctionnent différemment des mètres dans une strophe, c'est-à-dire que leur mise en lignes suivies apporte à l'unité de discours une tension rythmique particulière. On aurait donc tendance à considérer un seul verset, de nature rythmique-accentuelle.

APPLICATIONS PRATIQUES

1. Dans ces quatre strophes, extraites de l' «Autre complainte de lord Pierrot» de Jules Laforgue (1885), déterminer les mètres employés, puis étudier les relations entre la structure métrique et la structure syntaxique des vers :

> Celle qui doit me mettre au courant de la Femme!
> Nous lui dirons d'abord, de mon air le moins froid :
> «La somme des angles d'un triangle, chère âme,
> Est égale à deux droits.»
> Et si ce cri lui part : «Dieu de Dieu! que je t'aime!»
> — «Dieu reconnaîtra les siens.» Ou piquée au vif :
> — «Mes claviers ont du coeur, tu seras mon seul thème.»
> Moi : «Tout est relatif.»
> De tous ses yeux, alors! se sentant trop banale :
> «Ah! tu ne m'aimes pas ; tant d'autres sont jaloux!»
> Et moi, d'un œil qui vers l'Inconscient s'emballe :
> «Merci, pas mal ; et vous ?» …
> Enfin, si, par un soir, elle meurt dans mes livres
> Douce ; feignant de n'en pas croire encor[1] mes yeux,
> J'aurai un : «Ah ça, mais, nous avions De Quoi vivre!
> C'était donc sérieux ?»

— A partir de cette étude, apprécier les effets sémantiques et énonciatifs des phénomènes de discordance. (On pourra compléter la réflexion par la comparaison du deuxième vers de la dernière strophe avec cette variante : «Feignant de croire, hélas! à mon sort glorieux».)

— Pour terminer, rapporter les conclusions de l'analyse à ce jugement de Gustave Kahn : «Laforgue s'inquiétait d'un mode de donner la sensation

---

1. «Encor», sans e, est une licence graphique que s'accordait la versification classique devant une initiale consonantique pour que le mot soit dissyllabique.

même, la vérité plus stricte, plus lacée, sans chevilles aucunes, avec le plus d'acuité possible, et le plus d'accent personnel, comme parlé».

2. Etude de l'accentuation dans le poème de Paul Eluard, «Baigneuse du clair et sombre», extrait du recueil *Capitale de la douleur* (Gallimard, 1926) :

> L'après-midi du même jour. Légère, tu bouges et,
> légers, le sable et la mer bougent.
> Nous admirons l'ordre des choses, l'ordre des
> pierres, l'ordre des clartés, l'ordre des heures. Mais
> cette ombre qui disparaît et cet élément douloureux,
> qui disparaît.
> Le soir, la noblesse est partie de ce ciel. Ici, tout se
> blottit dans un feu qui s'éteint.
> Le soir. La mer n'a plus de lumière et, comme aux
> temps anciens, tu pourrais dormir dans la mer.

— Etablir l'accentuation syntaxique du poème, puis étudier particulièrement l'accent d'attaque dans les deux premiers versets.

— Analyser la fonction sémantique de l'accentuation prosodique dans les deux derniers versets.

LECTURES CONSEILLEES

CORNULIER Benoît de, *Théorie du vers,* «Notions de métrique», Le Seuil, 1982.

MARTINON Philippe, *Les Strophes,* «Genèse et histoire générale des strophes», Champion, 1912.

MAZALEYRAT Jean, *Eléments de métrique française,* «La prosodie syllabique», «Rime et structures sonores», Armand Colin, 1974.

MESCHONNIC Henri, *Pour la poétique III,* «Un poème est lu : " Chant d"automne" de Baudelaire», Gallimard, 1973. *Critique du rythme,* «Le rythme sans mesure», «Situations du rythme» (1, 2), Verdier, 1982.

MILNER Jean-Claude, François REGNAULT, *Dire le vers,* ch. 6 : « L'accent dans la langue », Le Seuil, 1987.

ROUBAUD Jacques, *La Vieillesse d'Alexandre, essai sur quelques états récents du vers français,* «Crise de vers», «L'alexandrin maintenu», Maspéro, 1978.

VI. Le rythme

Parmi les éléments qui composent l'écriture du poème, le *rythme* est celui dont la notion a le plus évolué depuis deux siècles, sous l'influence des différentes théories du discours poétique. Désignant, dans la poétique classique, un simple « niveau » du vers, extérieur à sa définition, le mot *rythme* nomme, depuis la fin du XIXe siècle, une composante essentielle du poème. On donnera donc, en premier lieu, un aperçu historique de cette évolution, avant d'aborder la procédure générale d'analyse.

1. Histoire d'une notion

Dès 1951, Emile Benveniste avait montré que l'idée communément répandue de rythme comme « séquence ordonnée», mesurée par le retour régulier d'un même élément, ne représentait pas une essence de la notion, mais un emploi historique. Cette spécialisation de sens, d'origine platonicienne, s'était substituée à une conception plus ancienne, pour laquelle le rythme désignait une manière particulière, une configuration, une disposition «sans fixité ni nécessité naturelle et résultant d'un arrangement toujours sujet à changer[1]».

Ce glissement sémantique explique que le rythme ait pu reposer sur le principe de symétrie — c'est encore, en 1912, la position de Ph. Martinon : «Qui dit rythme, dit symétrie» —, et, partant, qu'il ait pu être confondu avec le mètre. A l'opposé de cette conception,

---

1. Emile BENVENISTE, «La notion de rythme dans son expression linguistique», *Problèmes de linguistique générale*, 1966.

les théoriciens du vers-libre fondèrent la notion de rythme sur la dissymétrie : «Tant qu'il y a symétrie, il n'y a pas rythme (...) Le rythme naît d'une rupture, des inégalités perçues sur la ligne de la durée» (R. de Souza). Mais, prenant le contre-pied de la conception «symétrique», ils restaient dans la même logique ; ce que traduit bien, dans cette citation, l'idée de «rupture».

Appliquée au discours, la conception, réactualisée par Benveniste, du rythme comme «forme improvisée, momentanée, modifiable», implique que chaque poème a son rythme propre, «inventé» par son énonciation. Cela a pour conséquence une approche du rythme plus complexe que le simple alignement d'une séquence de nombres. Etant un marquage total du langage, le rythme confère à l'accent une fonction de premier plan, que l'analyse devra traiter avec soin.

2. Rythme et accentuation

L'accentuation est un élément fondamental de la signification d'un poème. De ce fait, lui attribuer une fonction secondaire, esthétique ou expressive, reviendrait à manquer l'essentiel de ce qui fait qu'un poème signifie, et qu'il signifie différemment d'un autre.

Au cours des chapitres précédents, nous avons rencontré plusieurs facteurs de marquage accentuel, en développant plus ou moins leur étude. Nous les groupons en deux types d'accentuation —essentielle et facultative—, en leur ajoutant l'accent d'insistance et la notion de figure accentuelle.

Accentuation essentielle

L'accent syntaxique

Il se place sur la dernière syllabe prononcée d'un groupe syntaxique :

Je nomme**rai** / ton **front** /
J'en fe**rai** / un bûcher / au som**met** / de tes san**glots** /
(P. Eluard, *Le Livre ouvert*, « Vertueux solitaire », 1940)

N'étant pas lié spécialement à tel ou tel mot, il peut frapper n'importe quel mot que sa situation dans une phrase place en position terminale de groupe. Dans l'exemple qui suit, le pronom sujet «tu», habituellement proclitique (voir p. 100, note 1) donc inaccentué, porte ici l'accent, étant isolé de son verbe «erres» par deux autres groupes syntaxiques :

> **Tu**, / Rrose Sélavy, / hors de ces **bornes** / <u>erres</u> /
> Dans un printemps en proie aux sueurs de l'amour
> (Robert Desnos, *Sens,* «Printemps», 1944, Gallimard).

Quant à *l'accent d'attaque,* il se place sur la première syllabe du premier mot accentuable d'un groupe syntaxique :

> Il **faut** visiter le **pa**radis des portes
> (P. Reverdy, *Sources du vent,* «La terre tourne», 1929, Mercure de France.)

L'accent prosodique :

Il est produit par la répétition de phonèmes ou de groupes de phonèmes :

> **En der**nière heure **de** l'hi**ver**
> **j'**ai **dé**couver**t** le **vent**, le **vert**
> **en** ce **pre**mier **jour de** **pr**intemps
> le **vent**.
> (Max Jacob, *Derniers poèmes,* «Mars», 1945, Gallimard)

Reprise vocalique : [ã] («en», «vent», «printemps»), [u] : («découvert», «jour») ; reprise consonantique : [r] («dernière», «heure», «hiver», «découvert», «vert», «premier», «jour», «printemps»), [v] («hiver», «découvert», «vent», «vert»), [d] («dernière», «de», «découvert»), [ʒ] («j'ai», «jour»), [l] («l'hiver», «le») ; reprise de groupes : [ɛr] («dernière», «hiver», «découvert», «vert»), [pr] («premier», «printemps»).

Accentuation facultative

L'accent d'insistance

Appelé également accent « oratoire » ou « rhétorique », l'*accent d'insistance* n'est pas toujours considéré comme un véritable accent, du fait qu'il peut frapper n'importe quelle unité linguistique : phonème, syllabe, ou mot entier. Nous l'intégrons cependant aux phénomènes d'accentuation, dans la mesure où il opère linguistiquement un renforcement du discours, au même titre que les autres marques identifiées sous le terme *accent*.

D'autre part, on ne reprendra pas la distinction usuelle entre *accent d'insistance affective* (portant sur la première consonne d'un mot : «**g**éant», «**é**vacuez»), et *accent d'insistance intellectuel* (portant sur la première syllabe : «**gé**ant», «**é**vacuez»), l'essentiel étant ici de montrer que l'*accent d'insistance,* pour être effectif, doit être motivé par le texte qu'on analyse, et non imposé par une interprétation subjective. Ce qui ne peut être fait que par un examen attentif du contexte, l'accent d'insistance découlant de la valeur que le système du discours confère à tel ou tel vocable.

Dans l'exemple suivant, extrait de *Bérénice,* de Racine, (II, 4, v. 610-612), le mot «Et», en début de vers, porte un accent d'insistance que justifie sa valeur fortement adversative :

> Vous regrettez un père : hélas! faibles douleurs!
> **Et** moi (ce souvenir me fait frémir encore)
> On voudrait m'arracher de tout ce que j'adore.

A la peine de Titus, qui ne se console pas de la mort de son père, Bérénice oppose sa propre souffrance à l'idée de se séparer de Titus, qu'elle aime. L'expression «Et moi» est à la fois contrastive et intensive, elle a la double valeur d'un «mais moi» et d'un «quant à moi».

L'accentuation typographique

Représentation graphique de la voix, elle s'inscrit dans le poème indépendamment de sa nature métrique et de sa structure syntaxique. Ses marques principales sont l'alinéa, le blanc et le changement de caractères.

L'alinéa : L'action accentuante de l'alinéa est manifeste lorsqu'il se produit après un mot non situé en fin de groupe — donc syntaxiquement inaccentué. La dernière syllabe prononcée de ce mot, ainsi «suspendu» en bout de ligne, reçoit un renforcement comparable à celui qu'exerce l'accent métrique sur un mot non accentué (voir p. 87, l'exemple de Mallarmé). Précisons que l'accent métrique n'implique pas le retour à la ligne, c'est à dire la disposition en vers (voir p. 113 l'exemple de Saint-John Perse).

Ainsi dans l'exemple suivant, les mots syntaxiquement inaccentués «vous, cette, un, ce, suis», se trouvent accentués par l'alinéa :

> et même quand vous étiez vivante et que je **vous**
> Possédais entre mes bras en **cette**
> Etreinte qui tarit l'es**poir,**
> Qui sait si elle était autre chose qu'**un**
> Commencement et apprentissage de **ce**
> Besoin sans fond et sans espoir à quoi je **suis**
> Prédestiné, pur et sans contrepar**tie** ?
>   (P. Claudel, *Le Soulier de satin,* Gallimard, 1924, IV, 8)

L'alinéa, quand il intervient à l'intérieur d'un mot, accentue la syllabe ainsi détachée, au détriment alors de l'accent de fin de groupe — ou de fin de mot, quand il est seul. Lorsqu'il dissocie du mot sa première syllabe, voire sa première consonne, c'est alors l'attaque du mot qui se trouve fortement accentuée :

> Si vous songez que vous êtes des hommes et que vous <u>y</u>-
> <u>Ous</u> voyez empêtrés de ces vêtements d'esclaves, oh! <u>**cri**</u>-
> <u>Ez</u> de rage et ne le supportez pas plus long**temps**!
>   (P. Claudel, *Tête d'or,* II, 1890)

Le blanc typographique : il produit un effet de disjonction, qui accentue la dernière syllabe du mot placé de cette manière comme en suspension dans la phrase, et renforce l'attaque du mot suivant :

> Pas tout à **fait**   à **de**mi
> Pas tout à fait endormi
> Pas tout à **fait**   à **moi**tié
> Enseve**li**   **En**sommeillé
>   (P. Claudel, *Visages radieux,* « Insomnie II », 1942)

Les caractères typographiques : l'utilisation momentanée d'un caractère typographique différent de celui employé dans le corps du texte est un procédé de marquage correspondant au renforcement énonciatif d'un mot ou d'une suite de mots. Quand le mot est monosyllabique, cette marque graphique recouvre tout à fait la notion d'accent, telle qu'on l'a définie :

> Entre *ton* plus grand bien et *leur* moindre mal rougeoie la poésie.
>   (R. Char, *Les Matinaux,* «Rougeur des Matinaux»,
>   Gallimard,1949).

Dans cet exemple, les mots «ton» et «leur», proclitiques, se trouvent accentués par la mise en italique.

L'intervention typographique peut porter sur un mot de plusieurs syllabes, ou sur une suite de mots. Dans ce cas, c'est l'ensemble de l'énoncé qui se trouve marqué, par contraste avec le reste du discours. Mais, du strict point de vue accentuel, le renforcement porte essentiellement sur la première syllabe du groupe, produisant un effet de démarcation semblable à l'intonation d'attaque dans une citation :

> Sultane, apporte un peu ma pipe
> Turque, incrustée en faux saphir,
> Celle qui *va bien à mon type...*
> Et ris! — C'est fini de mourir
> (T. Corbière, *Les Amours jaunes*, «Un jeune qui s'en va», 1873)

Rôle de l'accent métrique

Caractéristique du poème métrique — combinaison de vers ou suite de segments mesurés —, il marque la fin de chaque mesure :

• *La fin de vers* (mètres simples) :

> Quel sépulcral naufrage (**tu** (8)
> Le sais, écume, mais y **haves**) (8)
> (S. Mallarmé, «A la nue accablante...», 1895).

• *Les fins de vers et d'hémistiche* (mètre complexe) :

> Le feu de pâtre **dit** : / — La mère pleure, hé**las**! (6+6)
> L'enfant a froid, le **père** / a faim, l'aïeul est **las** (6+6)
> (V. Hugo, *Les Contemplations*, «Magnitudo parvi», 1856).

• *La fin de segment syllabique* (suites métriques versifiées) :

> *Tu as gardé longtemps,* (6) longtemps entre tes **mains** (6) le
> visage noir du guer**rier** (8)
> Comme si l'éclairait dé**jà** (8) quelque crépuscule fa**tal**. (8)
> (L. S. Senghor, *Nocturnes*, «Chants pour Signare», Seuil, 1961)

(ou suites métriques non versifiées) :

> Mon cheval arr**êté** (6) sous l'arbre plein de tourter**elles**, (8) je
> siffle un sifflement si **pur**, (8) qu'il n'est promesses à leurs **rives** (8)
> que tiennent tous ces **fleuves**. (6) (Feuilles vivantes au ma**tin** (8)
> sont à l'image de la **gloire**)... (8)
> (Saint-John Perse, *Anabase*, «Chanson», Gallimard, 1924).

Le rythme étant défini comme l'organisation spécifique d'un poème, et n'impliquant donc pas comme condition *sine qua non* le retour régulier d'un même élément, l'accent métrique n'apparaît pas, au sens strict du terme, comme une marque rythmique. Cependant, l'analyse du rythme ne peut ignorer le rôle que cet accent a joué dans l'histoire des relations entre mètre et syntaxe.

On a vu que la réglementation classique soumettait la syntaxe aux limites métriques : «Enfin Malherbe vint... / Et le vers sur le vers n'osa plus enjamber» (Boileau, *Art poétique).* Même si, contre l'avis de Boileau, l'enjambement est toujours pratiqué par ses contemporains, un mot inaccentué en bout de vers, comme dans l'exemple de Du Bellay donné p. 87, n'est plus possible.

Après les expériences de prose poétique au XVIIIe siècle, le vers va donc être conçu non plus comme mètre, mais comme rythme, le rythme étant la grande notion poétique du XIXe siècle. Mais avant d'être le vers-libre, le vers va passer par une étape de transition où une forte disjonction mètre-rythme sera provoquée et *maintenue,* en plaçant par exemple une syllabe inaccentuée à la césure. Intégrées comme marques intonatives à l'énonciation du poème, les positions métriques — accentuantes — engendrent des effets de tension qui sont des éléments du rythme poétique.

Les figures accentuelles

Les accents ont tendance à se grouper selon des dispositions auxquelles on peut donner le nom de *figures,* et qui sont liées sémantiquement aux mots qu'elles sollicitent. Parmi les figures accentuelles possibles, arrêtons-nous particulièrement sur le «contre-accent[1]», qui se définit comme la succession immédiate de deux accents.

Cette figure accentuelle fut longtemps condamnée par les théoriciens de la poésie, au nom de considérations d'abord esthétiques, puis physiologiques. Encore au début du siècle, le contre-accent était exclu des figures prosodiques : « Deux accents prosodiques ne peuvent se suivre[2]». Pour cette raison, le même auteur

---

1. Terminologie de H. Morier. A ne pas confondre avec le « contre-accent » de Milner et Regnault, qui est en réalité l'accent d'attaque (voir p. 93).

2. M.-C. SAVARIT « Les limites de la poésie libre », *Le Mercure de France,* 1er nov. 1910.

jugeait «mauvaise» la répétition du phonème [t] dans ce vers de Hugo : «Pour sa grande bravoure et pour sa haute taille». Cette «loi», qui étendait à l'accent prosodique l'interdiction faite par Louis Quicherat (1838) d'une séquence de deux accents syntaxiques — il condamnait ce vers de Corneille : «Il fera demain jour et la nuit porte avis» —, écartait de la poésie l'une des figures rythmiques les plus importantes.

H. Meschonnic a développé l'analyse de cette figure accentuelle en montrant qu'elle pouvait combiner plusieurs types d'accent. Il distingue ainsi quatre types de contre-accent :

— syntaxique-syntaxique : le lys naît blanc (Mallarmé)

— prosodique-prosodique : paille du grain qui ne peut pourrir
(Char)

— prosodique-syntaxique : d'une force défunte (Mallarmé)

— syntaxique-prosodique : ils nous ont pourtant pourchassés
(Char)

On reprend ici la notation de H. Meschonnic, qui indique par une ligature (⌢) le contre-accent, et par un nombre graduel de traits obliques l'effet cumulatif des accents, quand plusieurs contre-accents se suivent.

Ainsi, l'expression «le souci d'eau», présente un contre-accent prosodique-prosodique (souci), suivi d'un contre-accent prosodique-syntaxique (-ci- d'eau).

On peut également ajouter à cette combinatoire les autre types d'accentuation, comme l'accent métrique ou l'accent typographique. On pourra obtenir, parmi d'autres cas de figure, un contre-accent syntaxique-métrique :

Contre un baiser sur l'extrême phalange

Du petit doigt, et comme la chose est
Immensément excessive et farouche,
(Verlaine, *Fêtes galantes,* « A la promenade »,
1869)

ou prosodique-typographique :

> J'ai vu bien d'autres choses, qu'on ne voit qu'en
> pleine Eau ; **et** d'autres qui sont mortes ; **et**
>
> d'autres qui sont feintes… **Et** ni
> les paons de Salomon
> (Saint-John Perse, *Eloges,* «Eloges», VIII, 1908).

Figure rythmique, le contre-accent est une marque linguistique du sujet dans son discours. A ce titre, il est un représentant du mouvement de la parole dans le poème. Chez Clément Marot, par exemple, le contre-accent manifeste l'inscription du sujet amoureux, développant dans l'écriture du poème ce qu'on pourrait appeler une érotique rythmique. Le contre-accent y rythme la parole, notamment quand le poème dit la relation amoureuse :

> **Am**our, **tu as été m**on **m**aître («Huitain», non daté[1])

> Mes amours duren**t en t**out **tem**ps («Chant de mai et
> de vertu», 1526)

> **Am**our **trou**va celle qui **m'est am**ère («De Cupido et
> de sa dame»)

> Elle est pourtant **b**ien **b**elle, et si le vaut ;
> **Si en** pensan**t su**is tro**p au**dacieux
> («A Anne, lui déclarant sa pensée»).

> Mais quand je **s**ens **s**on coeur **s**i chaste et haut («De
> l'amour chaste»)

Dans les deux vers suivants, la double suite de quatre contre-accents en série, appuyés sur un parallélisme syntaxique et métrique des deux premiers hémistiches (rime à la césure), réalise un véritable dialogue rythmique :

> **L**anguir **l**a fais / quand suis loin de ses yeux ;

---

1. Les poèmes dont la date n'est pas précisée sont de 1527.

Mourir me fait / quand je la vois présente
(«De sa dame et de soi-même»).

Enfin, le contre-accent associe dans le poème le désir et l'oralité de la parole, cette écriture anti-rhétorique que Marot appelle «mon rude style», et qui, selon Du Bellay, «ne s'éloigne point de la commune manière de parler» :

Vous me disiez, Non, vous ne l'aurez point
(«De oui et nenni», non daté)

Qu'il était doux! ô beauté admirable! («D'un doux baiser»)

Qui est ? Et quoi ? Je ne le dirai point («De cinq points en amour»).

Dans ce dernier exemple, la séquence de trois contre-accents est une marque rythmique sémantiquement forte : elle lie ensemble la représentation d'un dialogue — une oralité maximale —, et l'allusion sexuelle implicite au «dernier point» en amour, qui vient après le regard, le «devis» (la parole), le baiser, et l'attouchement.

3. Rythme et discours

En déplaçant le point de vue sur le vers, que la poésie classique assimilait au mètre, vers le rythme linguistique et prosodique, les poètes du vers-libre — et de ce qu'on avait appelé, dès la fin du XIXe siècle, «la poétique nouvelle» — avaient infléchi la conception du poème dans une direction neuve. Elément accessoire de l'harmonisation du vers dans la poétique traditionnelle, le rythme devenait la composante principale du poème :

> Le seul guide pour le poète est le rythme, non pas un rythme appris, garotté par mille règles que d'autres inventèrent, mais un rythme personnel qu'il doit trouver en lui-même[1].

1. A. RETTE, «Le vers libre», *Le Mercure de France,* juillet 1893.

Le rythme n'est alors ni une correspondance linguistique de l'harmonie cosmique pythagoricienne, ni un instrument d'expressivité imitant formellement ce que dit le poème (un «rythme» régulier mimant les mouvements de la mer) : il se définit spécifiquement comme l'inscription du sujet dans son discours.

Cette orientation nouvelle, prise par les poètes, à partir de la poésie, H. Meschonnic la développe, en l'associant aux travaux d'E. Benveniste : «Dans le discours, le discours est rythme, et le rythme est discours» *(Critique du rythme)*. Les deux notions s'impliquant réciproquement, le rythme ne peut pas préexister au poème, ni donc être «programmé» sans retomber, par là-même, dans le principe métrique.

Si le rythme est chaque fois unique, comme le discours qui le manifeste, c'est qu'il est issu d'un sujet qui réalise précisément, par le langage, sa propre singularité. Dans le poème, discours où la subjectivité est maximale, le rythme est l'organisation même du langage.

On a pu voir, à travers les analyses ponctuelles menées jusqu'ici, que l'ensemble des composantes du poème concourait à sa signification, mais d'une autre manière que la logique syntaxique. Cette organisation signifiante, qui est un rythme, apparaît au premier plan dans les poèmes réputés «difficiles», «obscurs», ou «hermétiques», parce qu'ils sont, précisément, irréductibles à la logique d'un énoncé. Symptomatiquement, ce sont ces mêmes poèmes qui, transformés en devinettes ou en énigmes, suscitent le délire interprétatif, rendant toujours actuelles la boutade de Breton au sujet des images de Saint-Pol Roux (voir p. 75), ou celle d'Aloysius Bertrand à propos de son *Gaspard de la nuit,* (1842) : «Mon livre, le voilà tel que je l'ai fait, et tel qu'on doit le lire, avant que les commentateurs ne l'obscurcissent de leurs éclaircissements».

Le poème, qui ne présente pas toujours un «sens» perceptible, ne cesse pourtant jamais d'avoir une signification : il signifie par son rythme, cette organisation spécifique d'un sujet qui, dans son discours, s'approprie la langue commune, jusqu'à en faire sa marque propre, son identité poétique.

Ainsi, Michel Deguy montre que chez Pierre Reverdy, la locution «il y a», reprise en leitmotiv, perd sa valeur habituelle d'outil présentatif, et se trouve investie d'une autre valeur, propre au discours qui l'actualise. A travers la répétition du pronom neutre *il,* dont la permanence surgit face à la «diversité singulière qui le compare[1]», se manifeste l'émergence du «sujet de l'être» :

> **Il y a** un terrible gris de poussière dans le temps (...)
> **Il y a** quelqu'un qui cherche
> Une adresse perdue dans le chemin caché (...)
> **Il y a** du bruit pour rien et des noms dans ma tête.
>
> (*Sources du vent,* « Chemin tournant », 1929)

Mais cette mutation, Michel Deguy la perçoit d'abord comme rythme : «c'est le langage qui bat (battement de porte ; langue qui s'ouvre au passage) pour laisser passer, et ainsi s'ouvrir au moment du passage, capter au vol la constellation du moment». Rythme d'un moment, rythme d'un passage, rythme d'un sujet. Ce sont les poèmes, individualités de langage, qui parviennent à «faire parler la grammaire de ces locutions insistantes, pour leur extorquer la pensée qui y repose : *il y a,* ou : *c'est là,* ou : *c'est comme ça*».

Le rythme étant la cohérence d'un sujet dans un discours, ses effets ne se limitent pas à un vers, ou à un poème, mais se répercutent à travers l'oeuvre entière. C'est le cas du mot «comme» chez Baudelaire, que son accentuation et sa spécificité sémantique érigent en mot-valeur de l'œuvre (voir p. 68). Il est en quelque sorte accentué *poétiquement* pour l'ensemble de l'œuvre, même quand il apparaît dans des poèmes où sa place n'est pas *linguistiquement* marquée. Parler ici d'accentuation n'est pas une métaphore : la lecture a en effet tendance à renforcer un mot qui joue, dans la constitution de cette écriture, un rôle tel, qu'il en devient une marque de singularité. C'est une question de rythme et de sujet. Toute proportion gardée, il en va comme des tics de discours, ces marques personnelles d'énonciation : une fois repérés, on n'entend plus qu'eux.

Enfin, le rythme peut marquer un lieu particulier du discours, comme le début ou la fin. Dans ce dernier cas, on parlera de *clausules.* La clausule n'est pas un synonyme savant de «fin». Ce terme de rhétorique, repris par la stylistique et la poétique, désigne *l'agencement particulier* d'une fin de discours — en quoi elle est liée à la figure. Ce qui explique que toutes les fins de discours ne soient pas des clausules. Par contre, les poèmes de Léon-Paul Fargue se terminent fréquemment en clausule, par une accentua

---

1. M. DEGUY, Préface aux *Sources du vent* de Pierre Reverdy, 1971.

tion prosodique à dominante consonantique, favorisant ainsi
le contre-accent : «... La nuit est venue.», «... sous le tremblement
lointain d'une étoile.», «... et qui vient des vieux jours.», «... au
bord de sa vie béante.», «... dans cette ville de songe et d'après-
midi grise.» (*Poèmes*, 1902).

APPLICATIONS PRATIQUES

1. Repérage des accents rythmiques dans ce quatrain de Victor Hugo :

> Mais moi, sous chaque jour courbant plus bas ma tête,
> Je passe, et, refroidi sous ce soleil joyeux,
> Je m'en irai bientôt, au milieu de la fête,
> Sans que rien manque au monde immense et radieux.
> (*Les Feuilles d'automne*, «Soleils couchants», VI, 1829).

— Passer en revue les divers accents étudiés, en commençant par les accents essentiels (syntaxiques et prosodiques), puis en poursuivant par les accents facultatifs (ici, l'accent d'intonation).

2. Etude du rythme accentuel dans ce poème retrouvé d'Apollinaire :

> A 10 heures 4 minutes
> J'étais à notre rendez-vous
> Ce mot qui manque au — que vous lûtes —
> Dictionnaire de Trévoux
> Mais de mon retard n'accusez que
> Le peu de moyens de transport
> Ainsi que raisins d'un plum-cake
> Ou facettes du Ko hi nor
> Notre foule nationale
> Se presse dans ce vieux Paris
> Où de ma pipe caporale
> J'encense toutes ces houris
> (G. Apollinaire, «A 10 heures 4 minutes», 1916-1918).

— Déterminer tout d'abord si le contexte est ou non métrique. En déduire la lecture des vers 1, 4, 5 et 9.

— Ensuite, étudier les différentes marques accentuelles qui font le rythme de ce poème. Pour l'accentuation prosodique, déterminer les marques récurrentes majeures au plan du poème entier.

3. Etude comparative du rythme accentuel dans deux versions d'un extrait de «Récitation à l'éloge d'une reine», de Saint-John Perse.

— **Première version** (*La Nouvelle Revue Française*, 1er avril 1910) :

> «*J'ai dit en outre, menant mes yeux comme deux chiennes bien douées : O bien-Assise, ô Lourde! tes mains pacifiques et*
> *larges! sont comme un faix puissant de palmes sur l'aise de tes jambes*
> *ici et là*
> *où brille et tourne*
> *le bouclier luisant de tes genoux ; et nul*
> *fruit*
> *à ce ventre infécond scellé du haut nombril ne veut* pendre, *sinon, par on ne sait quel secret pédoncule nos têtes!*»

*

> — Mais qui saurait par où faire entrée dans son cœur ?

— **Seconde version** (*Oeuvres complètes*, Gallimard, 1972) :

> «J'ai dit en outre, menant mes yeux comme deux chiennes bien douées :
> Ô bien-Assise, ô Lourde! tes mains pacifiques et
> larges
> sont comme un faix puissant de palmes sur l'aise de tes jambes,
> ici et là, où brille et tourne
> le bouclier luisant de tes genoux ; et nul fruit à ce ventre infécond scellé du haut nombril ne veut pendre, sinon,
> par on ne sait quel secret pédoncule,
> nos têtes!»

*

> — *Mais qui saurait par où faire entrée dans Son cœur ?*

— Comparer dans les deux versions la segmentation de l'énoncé et l'usage des divers types de caractères. Quelles sont les conséquences des changements apportés pour la perception rythmique du poème ?

— Apprécier dans quelle(s) direction(s) se sont opérées ces transformations. Autrement dit, quelles conclusions peut-on tirer de cette étude concernant l'évolution de la rythmique saint-john persienne ?

LECTURES CONSEILLEES

BENVENISTE Emile,
  « La notion de rythme dans son expression linguistique », *Problèmes de linguistique générale,* Gallimard, t. 1, 1966.

MESCHONNIC Henri,
  Critique du rythme, Verdier, 1982.

MOUROT Jean,
  Le Génie d'un style, Chateaubriand, rythme et sonorité dans les Mémoires d'outre-tombe, Colin, 1969.

SPIRE André,
  Plaisir poétique et plaisir musculaire, Corti, 1986.

Commentaires de texte

I. *Abel et Caïn*
de Charles Baudelaire

L'analyse de ce poème de Baudelaire sera présentée sous la forme d'un commentaire composé, mode d'exposition le plus approprié à l'examen des différents éléments du texte.

Contrairement à la démarche adoptée dans le cours de l'ouvrage, le commentaire ne procède pas par études techniques successives des éléments qui composent le poème, mais organise plusieurs plans de réflexion *à partir* des analyses de ces éléments.

ABEL ET CAÏN

I

1 Race d'Abel, dors, bois et mange ;
2 Dieu te sourit complaisamment.

3 Race de Caïn, dans la fange
4 Rampe et meurs misérablement.

5 Race d'Abel, ton sacrifice
6 Flatte le nez du Séraphin !

7 Race de Caïn, ton supplice
8 Aura-t-il jamais une fin ?

9 Race d'Abel, vois tes semailles
10 Et ton bétail venir à bien ;

11 Race de Caïn, tes entrailles
12 Hurlent la faim comme un vieux chien.

13 Race d'Abel, chauffe ton ventre
14 A ton foyer patriarcal ;

15 Race de Caïn, dans ton antre
16 Tremble de froid, pauvre chacal !

17 Race d'Abel, aime et pullule !
18 Ton or fait aussi des petits.

19 Race de Caïn, cœur qui brûle,
20 Prends garde à ces grands appétits.

21 Race d'Abel, tu croîs et broutes
22 Comme les punaises des bois !

23 Race de Caïn, sur les routes
24 Traîne ta famille aux abois.

II

25 Ah! Race d'Abel, ta charogne
26 Engraissera le sol fumant!

27 Race de Caïn, ta besogne
28 N'est pas faite suffisamment ;

29 Race d'Abel, voici ta honte :
30 Le fer est vaincu par l'épieu !

31 Race de Caïn, au ciel monte,
32 Et sur la terre jette Dieu !

1. Travail préparatoire

Rassemblement des informations

— Se documenter sur la situation historique de Baudelaire et sur ses positions littéraires.

— Situer le poème parmi les autres textes du recueil des *Fleurs du mal* (édition de 1861).

— S'informer sur l'histoire d'Abel et Caïn (*La Bible*, «Genèse», 4, 1-16).

— Lire d'autres textes contemporains ayant traité ce thème. Par exemple : le poème de Victor Hugo «La conscience», dans *La Légende des siècles,* le poème de Nerval «Antéros», dans *Les Chimères,* ou le *Qaïn* de Leconte de Lisle.

Lecture attentive du poème

— Etude de la structure métrique et strophique. Faire les premières remarques : ce poème est constitué de distiques, mais les rimes sont des schémas de quatrains (**a b a b, c d c d**). Le blanc typographique et la mise en distique ont donc une valeur particulière, qui sera à déterminer.

— Repérer les constantes rhétoriques, particulièrement les *anaphores* — répétitions de mots en tête de vers ou de phrases — alternées «Race d'Abel», «Race de Caïn». En dégager la double valeur culturelle (litanies) et structurelle (organisation du poème).

— Examiner la distribution du lexique en fonction des rimes.

2. Commentaire

Structure

Ce poème n'offre pas de difficulté de lecture. Sa structure est relativement simple : elle repose sur un principe d'opposition terme à terme développant l'antagonisme fondamental du mythe biblique d'Abel et Caïn.

Chaque quatrain est divisé en deux distiques, réservés l'un à la «Race d'Abel», l'autre à la «Race de Caïn». Chaque quatrain développe un thème traité de manière antithétique à l'intérieur de chacun des distiques, sur le modèle du premier quatrain, qui oppose la vie de la «Race d'Abel», déterminée positivement : «dors, bois et mange / Dieu te sourit complaisamment», à celle de la «Race de Caïn», décrite négativement : «dans la fange / Rampe et meurs misérablement».

Le deuxième quatrain, qui s'intercale dans cette série de huit, explique l'origine de ces deux destins contraires : «Race d'Abel, ton sacrifice» évoque le meurtre d'Abel par Caïn, «Race de Caïn, ton supplice», rappelle le châtiment divin condamnant Caïn à l'errance éternelle.

Au simple plan de l'énoncé, la structure est donc simple ; elle rend sensible le mouvement d'inversion qui s'opère dans la seconde partie du poème, les deux quatrains qui la composent présentant une construction inverse de ceux de la première partie. En effet, les distiques de la «Race d'Abel» sont affectés maintenant d'une valeur négative : «ta charogne», «ta honte», et ceux de la «Race de Caïn» prennent une valeur positive : «ta besogne», «au ciel monte».

Tout le texte fonctionne donc selon un schéma binaire, depuis l'énoncé jusqu'à l'organisation générale du poème en deux parties antithétiques.

En affinant la lecture, on perçoit que ce retournement thématique est préparé dès les deux derniers quatrains de la première partie. Alors que l'opposition des valeurs — Abel (+), Caïn (–) — est encore lisible : «Race d'Abel, aime... / ... tu croîs...», «Race de Caïn, coeur qui brûle... / Traîne ta famille aux abois», l'utilisation d'images animales en relation avec la race d'Abel, annonce déjà une inversion des valeurs : «Race d'Abel, aime et *pullule!*», «... tu crois et *broutes / Comme les punaises des bois!*».

Cependant, mettre au jour cette structure oppositionnelle double n'est pas la fin du commentaire. Il n'est pas indifférent, bien entendu, de la percevoir, mais l'analyse doit s'efforcer d'appréhender la signification du poème comme un phénomène global, produit par l'ensemble des éléments linguistiques qui entrent en jeu. Elle doit également montrer comment ce processus de signification ne prend sa valeur qu'en relation avec la dimension historique de l'œuvre.

Une allégorie de l'histoire

Le schéma dualiste, en fait, n'appartient pas en propre à Baudelaire. C'est un schéma culturel, hérité, mis en fiction précisément par la fable biblique des deux frères ennemis. De plus, l'histoire de Caïn et Abel est un thème d'époque, issu de la mythologie romantique. Si, chez Hugo, Caïn est l'éternel errant, chez Byron (*Caïn,* 1821), Nerval, et la plupart des écrivains du XIXe siècle, il symbolise le révolté, le blasphémateur qui «au ciel monte / Et sur la terre jette Dieu». Dans une note de *Pauvre Belgique* (1865), Baudelaire écrit : «Toast à Caïn»!

C'est dans ce contexte que Baudelaire écrit son poème, amplifiant la dimension allégorique de la fable par une double invocation, non pas à Abel et Caïn, mais à leurs «races» respectives, qui sont personnifiées tout au long du poème. Elles représentent à la fois les descendants «génétiques» des deux frères — conformément à la perspective généalogique de la *Bible* — et leurs descendants «spirituels», ceux qui leur ressemblent par leur personnalité et leur conduite («la postérité de Caïn et celle d'Abel», selon Balzac).

Au XIXe siècle, Caïn est donc l'être maudit qui se révolte contre la société établie, symbolisée par la race d'Abel, et contre l'autorité qui la fonde : Dieu. Pour Balzac, «Caïn, dans le grand drame de l'Humanité, c'est l'opposition» (*Splendeurs et misères des courtisanes*, 1847). Après la révolution de 1848, le mythe prend une couleur plus politique. Abel devient alors «le premier bourgeois» de l'histoire, et Caïn, l'incarnation de «l'insurrection morale» (*Le Figaro*, 24 fév. 1856).

Dans le poème de Baudelaire, les allusions sont claires : la Race de Caïn «jette Dieu», responsable d'avoir favorisé l'avènement d'une société qui «chauffe (s)on ventre à (s)on foyer patriarcal», qui «aime et pullule», et dont l'«or fait aussi des petits». (Le texte de l'édition de 1857 actualisait davantage : «*L'argent* fait aussi ses petits»).

La perspective politique de l'allégorie est patente dans la transformation que Baudelaire fait subir au mythe biblique. Inversant la situation initiale des deux protagonistes — dans la version de la *Genèse*, Abel est berger, Caïn laboureur —, il fait d'Abel le sédentaire : «vois tes semailles / Et ton bétail venir à bien», et de Caïn le nomade : «sur les routes / Traîne ta famille aux abois».

La leçon de l'allégorie, à la fois anthropologique et politique, se résume dans le vers : «Le fer est vaincu par l'épieu». Au plan de l'énoncé, le fer désigne sans doute celui de la charrue d'Abel ; l'épieu, l'attribut de l'errant. Mais le fer est surtout le symbole de la civilisation industrielle, l'épieu représentant, face au mythe régnant du progrès, le contre-mythe du primitif, ou du sauvage.

La valeur allégorique du poème ne repose pas sur le seul usage métaphorique de la fable biblique. Elle se construit également sur l'alternance de deux points de vue énonciatifs, qui se fondent dans le *je* du discours. D'une part, la série des impératifs («dors, bois et mange», «rampe et meurs») représente le jugement divin ; elle est la voix du mythe dans le poème. D'autre part, le présent de l'énonciation («tes entrailles / Hurlent la faim», «ta besogne / N'est pas faite suffisamment»), relie l'histoire de Caïn et Abel au temps de l'écriture.

Par le travail du poème, ces deux points de vue fusionnent dans une dimension véritablement politique, actualisante, du mythe. Une «voix» discordante, critique, intervient lexicalement dans la voix impérative, par l'imposition d'une métaphore animale : «aime et pullule». Cette voix métaphorique, qui s'entend dans la voix de l'énonciation : «tu crois et *broutes*», fait se superposer les deux points de vue : l'ordre et le commentaire, qui se fondent en une incitation à la révolte. La responsabilité de la voix impérative a changé. Le blasphème est ici moins dans l'histoire du révolté — devenu, au milieu du XIXe siècle, un lieu commun — que dans la substitution de la voix du poète à celle de Dieu, dans la profération du destin des hommes : «Race de Caïn, au ciel *monte* / Et sur la terre *jette* Dieu!».

C'est toute la valeur du présent de l'énonciation qui change, passant d'une valeur de constat («tes entrailles / Hurlent la faim») à une valeur de jugement et d'incitation («ta besogne / N'est pas faite suffisamment»). En face du futur du deuxième quatrain : «Race de Caïn, ton supplice / *Aura*-t-il jamais une fin», le futur du septième quatrain: «Ah! Race d'Abel, ta charogne / *Engraissera* le sol fumant», devient alors prophétique.

Redevable au contexte culturel d'une époque, mais inscrite dans l'énonciation même du poème, la dimension allégorique d'*Abel et Caïn* s'étend au système global du texte. Etudions à présent comment les éléments qui composent ce système concourent à la réalisation d'une tension généralisée.

Une tension généralisée

Cette tension est la résultante de plusieurs facteurs, dont la disposition des vers en distiques, la dimension rhétorique, la répartition des mots à la rime, et les échos prosodiques formant accord en fin de vers.

La disposition en distiques

Elle est en soi un élément de tension entre la dimension rhétorique et la dimension strophique, tension qui opère aux plans énonciatif et sémantique du poème.

La dimension rhétorique

Le poème repose, rhétoriquement, sur l'alternance anaphorique de deux groupes vocatifs, «Race d'Abel», «Race de Caïn». On a vu que cette alternance en impliquait une autre, thématique celle-là, qui réserve, dans la première partie, à la «Race d'Abel», des attributs positifs, et à la «Race de Caïn», des attributs négatifs, ce schéma s'inversant dans la seconde partie.

Cette distribution alternée des deux objets de l'invocation justifie la disposition en distiques, qui constituent d'ailleurs chacun une séquence syntaxique complète. La fonction du blanc, entre les deux distiques, est donc d'abord rhétorique. Mais elle a aussi une valeur poétique, c'est-à-dire participant à la *signifiance* du poème, qui est son mode spécifique de signification. En effet, il disjoint rhétoriquement ce que le poème joint métriquement par un schéma strophique.

La dimension strophique

Si l'on se reporte aux explications données p. 127, on s'aperçoit que les fins de vers du premier distique ne riment pas entre elles, mais avec celles du second distique («mange / fange», «complaisamment / misérablement»). L'unité strophique du poème est donc le quatrain à rimes croisées (type **a b a b**, séparé du suivant par un blanc de nature strophique, signalant la fin d'une séquence métrique de rimes complète.

L'insertion d'un blanc «rhétorique» entre les deux couples de vers de chaque quatrain est donc un élément d'extrême tension, puisqu'il suspend ce principe fort de cohésion que sont les rimes. Il n'est pas indifférent de remarquer que cette tension s'opère sur «Race de Caïn», qui est le terme marqué du poème.

Les mots mis à la rime

L'opposition sémantique terme à terme des mots mis en fin de vers est renforcée par le système des rimes croisées. En effet, chaque fin de vers d'un premier distique rime avec une fin de vers du second. Les rimes attirant ainsi l'un vers l'autre des termes opposés dans le système binaire du poème renforcent ce contraste. En fait, cette opposition des termes à l'intérieur des couples de rimes matérialise une différence *en acte,* qui mime chaque fois le principe même de la fable : la dislocation du même (les deux frères) dans le différent (le frère meurtrier de son frère), et répète la double parole divine de bénédiction et de malédiction.

On établira le tableau des rimes et on commentera les oppositions terme à terme :

premier couple de rimes	second couple de rimes
I 1 mange / fange	complaisamment / misérablement
2 sacrifice / supplice	Séraphin / (jamais une) fin
3 semailles / entrailles	venir à bien / vieux chien
4 ventre / antre	patriarcal / chacal
5 pullule / brûle	petits / (grands) appétits
6 broutes / routes	(punaise des) bois / aux abois
II 7 charogne / besogne	fumant / suffisamment
8 honte / monte	épieu / Dieu

Les limites du présent ouvrage ne permettant pas de développer
chaque opposition (*bas-haut :* honte / monte ; *humain-animal :*
ventre / antre ; mange / fange ; patriarcal / chacal ; broutes /
routes …) ; on montrera simplement comment la rime produit des
effets de sens spécifiques, contre l'énoncé, mais en relation avec
la signification fondamentale, globale, du poème.

En I, 5, par exemple, les vers «Ton or fait aussi des petits», et
«Prends garde à ces grands appétits», liés respectivement à la Race
d'Abel et à la Race de Caïn, respectent, au plan de l'énoncé, le
schéma initial des valeurs : la fructification des richesses —
élément positif — s'oppose à l'avertissement, voire à l'interdiction. Mais la rime retourne le schéma, affectant le nom «petits»
d'un signe négatif, face à l'expression « grands appétits », positive,
l'adjectif «grand» faisant ressortir par contraste le mot «petit»,
contenu dans le mot «appétit», et appelé par la rime.

Les accords prosodiques

Ces oppositions, «tenues» par les rimes, se renforcent également par l'environnement prosodique des fins de vers, qui agissent
à la façon d'accords phoniques (voir p. 102). En voici le tableau :

premier couple de rimes	second couple de rimes
I 1 dors, bois et **mange** / dan**s** la **fange**	complaisa**mment** / misérable**ment**
2 **ton** sacri**fice** / **ton** sup**plice**	**Séraphin** / jamais une **fin**
3 **tes** sem**ailles** / **tes** entr**ailles**	venir à **bien** / vieux **chien**
4 **ton ventre** / **ton antre**	patri**arcal** / pauvre ch**acal**
5 **pullule** / **brûle**	aussi des **petits** / **ces** grands app**étits**
6 tu croîs et **broutes** / sur les **routes**	punaises des **bois** / aux **abois**
II 7 **ta** char**ogne** / **ta** bes**ogne**	sol **fumant** / suffis**amment**
8 voici ta **honte** / au **ciel monte**	par l'**épieu** / terre jette **Dieu**

On montrera comment ces accords sont renforcés par les oppositions phonologiques, notamment par l'opposition consonantique *sourd / sonore* : **p / b** (pullule / brûle) ; **s / z** (Séraphin / jamais une fin ; tes semailles / tes entrailles ; tu crois et broutes / sur les routes).

Mais le facteur de tension majeur du texte est le rythme de phrase, en relation avec la construction rhétorique. Il faut étudier ce rapport particulièrement, dans la mesure où il relève d'un travail d'écriture propre aux *Fleurs du mal*.

Un rythme symbolique

Tous les vers de ce poème sont mesurés par l'octosyllabe, qui est un mètre simple, sans césure (voir p. 82). Il n'y a donc pas ici de conflit envisageable entre mètre et syntaxe.

Cependant, le rythme syntaxique intervient comme phénomène de régulation et de dérégulation à l'intérieur de cette constante octosyllabique. L'alternance rhétorique des deux groupes en apostrophe «Race d'Abel» et «Race de Caïn» impose deux mesures constantes, respectivement de quatre et cinq syllabes, une coupe étant réalisée par la pause qui suit les groupes en apostrophe :

«Race d'Abel (4) dors, bois et mange (4)», «Race de Caïn (5), dans la fange (3)».

La régularité de l'alternance, qui construit sur un même schéma (4 + 4) tous les premiers vers des quatrains — une seule exception, qu'il faudra commenter, au vers 25 —, et sur un autre schéma (5 + 3) tous les troisièmes vers, en leur affectant à chaque fois le même thème — Abel dans un cas, Caïn dans l'autre — crée donc une rythmique signifiante, chaque mesure constituant ainsi la marque propre de chacune des deux «Races».

Cette organisation a deux conséquences : la première est d'accroître le principe de tension, en le portant au plan du rythme de phrase. En effet, la majorité de chaque distique se trouve entièrement organisée selon cette double mesure, sur le modèle du premier quatrain :

1   Race d'Abel, (4) dors, bois et mange (4)
2   Dieu te sourit (4) complaisamment (4)
3   Race de Caïn, (5) dans la fange (3)
4   Rampe et meurs (3) misérablement. (5)

La tension du rythme de phrase en est augmentée, d'autant que, d'une part, le système des rimes apparie chaque fois deux mesures hétérogènes (v. 1 / v. 3 ; v. 2 / v. 4), et que, d'autre part, la dissymétrie s'appuie ici sur un double parallélisme de deux syntagmes grammaticalement identiques, mais de nombre syllabique dissemblable : «Race d'Abel» (4) // «Race de Caïn» (5) ; «complaisamment» (4) // «misérablement» (5).

L'impact des deux schémas 4 + 4 et 5 + 3, inhérents aux vers 1 et 3 de chaque quatrain, n'affecte pas tous les vers 2 et 4 de ces quatrains, puisque ces mesures ne sont pas *métriques,* mais sont liées à l'organisation syntaxique du discours. Cependant, les deux schémas des quatrains — (4 - 4 - 4 - 4) et (5 - 3 - 3 - 5 ou 5 - 3 - 5 - 3) — fonctionnent bien dans la première partie jusqu'aux quatrains 5 et 6, dans lesquels, précisément, est amorcé le retournement thématique. Deux exceptions cependant, aux vers 12 et 16. Mais sur les épreuves de l'édition de 1857, Baudelaire les avait «corrigés» par ces vers : «Crient la faim (3) comme un pauvre chien (5)», «Grelotte (3) comme un vieux chacal (5)».

La seconde conséquence de cette organisation est de rendre signifiante, au premier vers de la seconde partie, la substitution d'un groupe de cinq syllabes : «Ah! Race d'Abel», au groupe de quatre syllabes attendu «Race d'Abel», par l'adjonction, en attaque de groupe, d'une interjection qui est une marque subjective du retournement sémantique.

Cette seconde partie réalise précisément la domination de Caïn sur Abel. Mais là encore, comme au plan du lexique, le rythme de phrase est allégorique. Par rapport au nombre huit, qui est la mesure constante du poème, «Race d'Abel» et «Race de Caïn» représentent deux attitudes énonciatives : l'une symétrique, l'autre dissymétrique. L'organisation symétrique de l'octosyllabe en 4 + 4 syllabes est ancienne, elle apparaît dans la poésie latine médiévale du *carmen*, à l'image du *Dies Irae* :

> Dies irae (4) dies illa (4)
> Per sepulcra (4) regionum (4)
> Cum resurget (4) creatura (4)
> Quid sum miser (4) tunc dicturus ?(4)

La mesure en 5 + 3 est donc le terme marqué du poème, et correspond à une contre-valeur historique du rythme. La conception dissymétrique du rythme deviendra en effet un lieu commun dès la fin du XIXe siècle (voir p. 109). Baudelaire fait ici une lecture rythmique de la fable biblique, et installe, au plan rhétorique de la phrase, une rythmique symbolique : Abel l'ancien, Caïn le moderne.

Cette tension rythmique signifiante est productrice d'un phrasé particulier qu'on va maintenant analyser en incluant l'étude de l'accentuation.

Une prose du poème

Cette rhétorique symbolique, qui est une composante du rythme d'*Abel et Caïn*, est prise en charge par la rythmique générale du poème, qui est une énonciation, l'inscription d'une «voix Baudelaire» dans le poème.

La création d'un rythme de phrase doublement symbolique (4 / 5), même s'il n'est en fait qu'une représentation rythmique du dualisme propre à la fable biblique, témoigne d'un déplacement de la conception du rythme, qui, d'instrument d'expressivité, devient élément signifiant, installant l'antinomie du thème dans le phrasé même du poème.

Ce rythme de phrase, impliqué par la rhétorique des apostrophes, a pour conséquence d'installer une contre-mesure qui atténue la perception de l'octosyllabe, et fait sentir des suites de 4 + 4, ou de 5 + 3 syllabes, parfois à l'intérieur du même distique, quand se produit le retournement :

> Race d'Abel, (4) voici ta honte : (4)
> Le fer est vaincu (5) par l'épieu! (3)

Ces mesures, étant préparées et répétées depuis le début du poème, empêchent que l'octosyllabe annule leur différence par son autorité métrique.

Cette contre-mesure tend le rythme du poème vers l'énonciation parlée, laquelle se fait dans l'asymétrie, c'est-à-dire en dehors du principe de symétrie — et de son contraire, la dissymétrie. La rhétorique des apostrophes n'est plus alors un artifice de présentation, mais une véritable rhétorique d'énonciation, qui fait de ces apostrophes des figures de phrase et de rythme inhérentes au discours d'invocation, qui est ici une parole *en acte*.

La suraccentuation de ce poème installe dans les vers un phrasé d'oralité, c'est-à-dire la liaison intime d'une rythmique et d'une énonciation : la manifestation linguistique d'un *je*. Le marquage accentuel n'est pas dissociable ici d'une rhétorique de l'invocation, de l'imprécation, reposant sur l'apostrophe, l'impératif, et l'exclamation.

Sur les trente-et-un vers portant un accent initial d'attaque, syntaxique ou prosodique — seul le vers 8 a une initiale inaccentuée —, vingt vers s'ouvrent sur un accent initial porté par un mot monosyllabique : une exclamation («Ah!»), quatre impératifs («Rampe, Tremble, Prends, Traîne)», et les quinze apostrophes («Race…»). Outre ces vingt monosyllabes, dix autres se situent à l'intérieur du poème, dont une apostrophe («Cœur»), et neuf impératifs («dors, bois, mange, rampe, meurs, bois, chauffe, aime, monte»). Ajoutons que treize autres monosyllabes, de nature grammaticale différente, également générateurs de contre-accents («au ciel monte»), renforcent l'accentuation générale.

Tous ces monosyllabes, enchaînés, produisent des contre-accents en séries, qui lient ensemble, rythmiquement et sémantiquement, les termes marqués :

> Ah! Race d'Abel
>
> Race d'Abel, dors, bois

Race de Caïn, coeur qui brûle

La rhétorique d'invocation est tout à la fois une syntaxe et un rythme : les formules d'apostrophe, constituées — par leur nature énonciative — de groupes nominaux autonomes, détachés du discours qui les inclut («Race d'Abel», «Race de Caïn»), sont naturellement génératrices de contre-accents :

«Race d'Abel, dors…» ; «Race d'Abel, voici…».

Ce rythme, que le poème fait entendre à l'intérieur des vers, retrouve le phrasé non mesuré des textes d'oralité, comme celui de la *Bible*. L'écriture de Baudelaire tente de se rapprocher de ces textes où l'accentuation est la véritable ponctuation, tout à la fois rythme, syntaxe, et signification du discours.

Cela peut expliquer que Baudelaire, dans l'édition de 1861, ait atténué les indications de pause en supprimant sept fois la marque du point, la remplaçant une fois par un deux-points, deux fois par un point d'exclamation — qui est avant tout une marque énonciative —, et quatre fois par un point-virgule. L'affaiblissement de la ponctuation logique a pour corollaire le renforcement de la ponctuation rythmique.

Conclusion

On retiendra de cette étude que, dans ce poème, le traitement du thème et du rythme sont liés par leur finalité allégorique. Ce qu'exprime l'allégorie, au plan du poème, c'est essentiellement une position à la fois poétique et politique de Baudelaire, par rapport à une société qui le détermine en tant que sujet et poète.

Cette double valeur se perçoit également dans la tension généralisée du poème, qui fait «tenir» l'ensemble comme l'état non résolu d'un conflit.

Enfin, on soulignera que Baudelaire a su faire d'un thème littéraire d'époque — la révolte de Caïn — une «voix», empruntant à la rhétorique de la litanie ses procédés pour retrouver dans le poème les mouvements d'une prose. Cette recherche d'un phrasé rythmique intégrant les contraintes métriques du vers syllabique établit une continuité entre les pièces des *Fleurs du mal,* et celles des *Petits poèmes en prose.*

II. *Feuillets d'Hypnos*
de René Char

1. Première approche du recueil

Il se présente sous la forme d'une succession d'énoncés courts numérotés de 1 à 237, mêlant aphorismes, bribes et fragments de chronique. Cet aspect fragmentaire, lié à l'absence d'un sens dominant, rend peut-être cette poésie «difficile» au premier abord. Mais loin d'y voir un obstacle au commentaire, on trouvera au contraire dans cette donnée la confirmation que la fin de l'analyse ne saurait résider dans l'exhumation d'un sens, unique et définitif, de l'œuvre. *Feuillets d'Hypnos,* en tant que discours, *signifie,* mais ce qu'il signifie n'est pas la cohérence d'un énoncé.

On s'attachera tout d'abord à situer historiquement la composition du texte.

2. Situation du texte

Rédigé entre 1943 et 1944, *Feuillets d'Hypnos* (Gallimard, 1962) est un poème de la guerre, et un poème de guerre tout à la fois. Le recueil fut réalisé à partir de notes prises par René Char alors qu'il dirigeait un groupe de résistants dans la région de Céreste (Vaucluse).

La situation d'écriture est importante, dans la mesure où elle pose, à travers l'engagement du poète dans la guerre, le problème de la relation de la littérature à l'action : Comment écrire l'histoire ? Comment écrire dans l'histoire ?

3. Réflexion préalable au commentaire

L'intérêt de *Feuillets d'Hypnos* réside dans sa manière de poser le rapport à l'histoire, qui ne passe pas par la «restitution» d'un contenu événementiel : «Prends garde à l'anecdote. C'est une gare où le chef de gare déteste l'aiguilleur!» (53)[1]. Il s'agit alors d'une autre relation du langage à l'expérience, une relation qui n'est pas fondée sur le système de la représentation. Comme l'écrit Brice Parain, «le langage n'est pas la représentation de ce qui arrive. Il est d'abord un événement parmi les autres. Ensuite on se rend compte, très rapidement, que c'est lui qui est à l'origine et à la fin de tous les événements, qu'il les absorbe tous, en réalité» (*Sur la dialectique*, 1953). Le rapport du langage à la guerre n'est donc pas de description, ou de commentaire ; il est posé à *l'intérieur* du langage, lequel donne le sens à l'événement vécu.

Le troisième tableau des *Epiphanies* d'Henri Pichette (1948), intitulé «La guerre», met en scène, précisément, l'inaptitude de la représentation à dire la guerre, à la faire partager. Alors que le décor est explicite : «La scène est sur une route bordée d'arbres brûlés et battue de pluie», et qu'un personnage — Monsieur Diable — crie «Aux armes! aux armes!», le poète dit : «Je reconnais l'état de guerre à ce que les ponts sont coupés entre les mots». L'état de guerre comme événement se reconnaît d'abord dans le langage. Ses manifestations sont syntaxiques : «les ponts sont coupés entre les mots», et sémantiques : «la grammaire a maille à partir avec le pot-pourri des idées» *(Ibid.)*.

Dans *Réponses interrogatives à une question de Martin Heidegger* (1966), Char affirme : «L'action est aveugle, c'est la poésie qui voit». En conséquence, *Feuillets d'Hypnos* témoigne *poétiquement* de la guerre, par la recherche d'un mode sémantique

---

1. On indiquera chaque fois, entre parenthèses, le numéro du feuillet cité.

particulier, qui soit en prise directe avec l'événement. Non pour le décrire, mais pour dire, à travers la parole d'un sujet, la relation des hommes à l'état de guerre. Parlant de ses «notes», Char précise :

> Elles furent écrites dans la tension, la colère, la peur, l'émulation, le dégoût, la ruse, le recueillement furtif, l'illusion de l'avenir, l'amitié, l'amour. C'est dire combien elles sont affectées par l'événement.

La syntaxe de *Feuillets d'Hypnos* se démarque de l'argumentation logique et de ses catégories. Elle dit autrement, parce que la guerre est d'abord une crise de la communication et de la signification : elle survient quand la tête de l'homme «sillonne la galaxie de l'absurde» (227). Et dire autrement, c'est faire entendre, au cœur même de l'horreur et de la mort, le vivant d'une voix qui témoigne, par ses inflexions, son rythme, du sens de l'événement. Du sens qu'il a pour les hommes.

4. Commentaire

C'est donc un mode de signification spécifique au poème, que l'analyse se donnera pour tâche de mettre au jour. Pour cela, on examinera d'abord le rôle de la ponctuation et de la typographie dans l'inscription du *travail de la voix*. Ensuite, on analysera la syntaxe et la valeur des images dans l'élaboration d'un véritable *parler des images* (expression de René Char).

Le travail de la voix

La syntaxe de *Feuillets d'Hypnos* est un rythme. Ce sont les inflexions mêmes du discours qui soulignent les arêtes de la signification, mettant en évidence tel mot plutôt qu'un autre, créant diverses relations entre plusieurs syntagmes autonomes. Ces mouvements de la parole dans l'écriture sont représentés par la ponctuation et la typographie.

Rôle de la ponctuation

La segmentation introduit des changements de registre marqués par le seul rythme des pauses, indiquées par divers signes de ponctuation, comme la virgule, le point, le tiret, les parenthèses, ou les guillemets.

Virgule et point : Ces marques pausales suppléent l'absence de relations sémantiques explicites entre les syntagmes, comme l'identité : «L'intelligence avec l'ange, notre principal ennemi» (16), la causalité : «Comment m'entendez-vous ? Je parle de si loin» (88), l'explication : «Etre stoïque, c'est se figer, avec les yeux de Narcisse» (4). Dans cet exemple, la seconde virgule organise l'énoncé en deux volets, un mouvement en quelque sorte «correctif», venant restreindre le propos général : «(mais) avec les yeux de Narcisse».

Les tirets : Peu nombreux dans *Feuillets d'Hypnos,* ils introduisent une incise commentative dans le propos principal : «Je suis homme de berges — creusement et inflammation — ne pouvant l'être toujours de torrent» (174). Le décrochement de la parole, signalé par les tirets (ou les parenthèses), est une double marque, énonciative et intonative.

Les parenthèses : Quand elles interviennent à l'intérieur du texte principal, leur rôle s'apparente à celui des tirets. Elles insèrent dans le discours une incise à valeur corrective ou explicative, sur le modèle du feuillet 195 : «Si j'en réchappe, je sais que je devrai rompre avec l'arôme de ces années essentielles, rejeter (non refouler) silencieusement loin de moi mon trésor...»

Mais elles se situent généralement à la fin du propos principal, formant alors une clausule qui peut prendre des proportions importantes, la parole appelant la parole (16, 112, 210). Elles introduisent, en finale de texte, une voix de commentaire qui constitue un retour sur le texte principal, que cette «relecture» soit contemporaine de la rédaction du texte, ou qu'elle date de la composition définitive, ultérieure, du recueil. Ce commentaire peut avoir une valeur d'explication : «Fontaine-la-pauvre, fontaine somptueuse. (La marche nous a scié les reins, excavé la bouche)» (122), ou de jugement : «Fidèles et démesurément vulnérables, nous opposons la conscience de l'événement au gratuit (encore un mot de déféqué)» (164).

Les guillemets : Ils indiquent le recul énonciatif par lequel un locuteur, dégageant sa responsabilité, se démarque des termes qu'il emploie: «Du jour où je suis devenu "partisan", je n'ai plus été malheureux ni déçu» (117).

Mais le plus souvent, ils signalent des discours cités : «François, exténué par cinq nuits d'alertes successives, me dit : "J'échangerais bien mon sabre contre un café!" François a vingt ans» (89). Dans ce cas, c'est l'expression d'une collectivité de parole, que construit le poème.

L'origine énonciative peut d'ailleurs n'être pas précisée ; elle se dilue alors dans l'anonymat du stéréotype : «"Les oeuvres de bienfaisance devront être maintenues parce que l'homme n'est pas bienfaisant." Sottise. Ah! pauvreté sanglante» (133).

Mentionnons enfin le cas du feuillet 236, présenté entièrement entre guillemets, sans aucune précision :

> «Mon corps était plus immense que la terre et je n'en connaissais qu'une toute petite parcelle. J'accueille des promesses de félicité si innombrables, du fond de mon âme, que je te supplie de garder pour nous seuls ton nom».

Dans cet exemple, le discours apparaît sans origine et sans repère, une parole erratique.

Rôle de la typographie

Si l'on excepte le rôle démarcatif du blanc qui sépare chacun des fragments, la typographie, dans *Feuillets d'Hypnos,* consiste essentiellement dans l'usage de types de caractères différents : régulièrement l'italique, occasionnellement la capitale d'imprimerie. Sa fonction est celle d'un soulignement linguistique, c'est-à-dire que sa valeur est tout à la fois rythmique et sémantique. Examinons plusieurs cas de figure.

Réactualisation sémantique : Dans tel syntagme verbal, l'italique accentue l'auxiliaire modal, lui rendant sa pleine valeur verbale : «Comment se cacher de ce qui *doit* s'unir à vous » (77). Inaccentué en tant qu'auxiliaire, «doit», monosyllabique, porte à présent un accent, centrant le discours non pas sur l'union, mais sur le sentiment de l'inéluctable.

De la même façon, le soulignement de l'adjectif «sensible», dans le feuillet 98, lui rend une valeur sémantique qu'il avait perdue en tant qu'élément de la locution verbale «être sensible» (signifiant «être perceptible») : «La ligne de vol du poème. Elle devrait être *sensible* à chacun». L'intérêt se trouve porté non sur l'universalité de la perception poétique («à chacun»), mais sur sa nature : la sensibilité.

Focalisation sémantique : Participant du même fonctionnement que la réactualisation sémantique, le soulignement typographique déplace fréquemment le centre d'intérêt sur un mot situé à l'intérieur d'un groupe syntaxique, faisant en quelque sorte «remonter» la signification, de la fin du groupe vers son début : «Le génie de l'homme, qui pense avoir découvert les vérités formelles, accommode les vérités qui tuent en vérités qui *autorisent* à tuer» (37). Ici, l'accent est mis sur le machiavélisme par lequel l'homme se dédouane de toute responsabilité dans le meurtre.

Dans le feuillet (54) : «Je ne suis plus *capable* de mourir...», l'intérêt se détourne de la mort (qui se trouve en fin de groupe) pour se porter sur l'attitude anthropologique d'une mort vécue comme une «faculté» humaine : le pouvoir de l'accepter — ou de se la donner.

Ailleurs, c'est la circonstance d'une action, et non l'action elle-même, que la typographie met au premier plan : «Si l'homme ne fermait pas *souverainement* les yeux, il finirait par ne plus voir ce qui vaut d'être regardé» (59). Le soulignement de l'adverbe centre la signification du propos sur la liberté de l'acte : la souveraineté de l'homme.

Sous-entendu et implicite : Le marquage typographique peut aussi laisser entendre un discours sous le discours. Ainsi, dans la question du jeune résistant de dix-sept ans : «Que fera-t-on de nous, *après*?» (64), l'italique montre ce que l'énoncé occulte : le présent de la guerre. Mais en même temps, le sous-entendu se double peut-être d'un implicite : qu'il puisse y avoir, pour le jeune homme, un «après». La révélation d'un tel implicite dans ces temps incertains — «il n'est plus de cœur gros ni d'avenir sur terre» (222) — signalerait l'intervention lucide du discours citant.

Ce jeu typographique avec l'implicite est aussi le ressort de l'ironie : «... l'oppression de cette ignominie dirigée qui s'intitule *bien* (le mal non dépravé, inspiré, fantasque est utile) a ouvert une plaie au flanc de l'homme...» (174). Ici, le soulignement du mot «bien» accuse le paradoxe d'une nomination contre-nature : une «ignominie» ne peut pas être un «bien».

Enfin, aux marges de l'implicite, la typographie peut prendre en charge toute l'horreur de la guerre. Non pas seulement la décrire, mais l'exprimer par l'intervention rythmique d'un sujet. Ainsi, sur le martyre d'un résistant torturé par les miliciens : «Un oeil arraché, le thorax défoncé, l'innocent absorba cet enfer et LEURS RIRES» (99). Les petites capitales déplacent l'horreur du forfait, de la description du corps supplicié, sur le cynisme des bourreaux.

Dans le poème, le scandale de la guerre est un rythme, l'expression d'un sujet : «LEURS RIRES».

Le «parler des images»

Pour René Char, l'image est la réponse appropriée à la destruction guerrière. Elle est un langage qui unit, à l'opposé de la guerre qui sépare. Elle tisse des relations entre l'homme et les choses, quand la guerre les défait. A cet officier qui s'étonnait que les maquisards «s'expriment dans une langue dont le sens lui échappe, son oreille étant rebelle "au parler des images"», le je du poème répond : «la langue qui est ici en usage est due à l'émerveillement communiqué par les êtres et les choses dans l'intimité desquels nous vivons continuellement» (61).

A la terreur, l'anéantissement, l'absurde, Char oppose la poésie, la recherche effrénée d'un sens des choses et des êtres : «Nous sommes pareils à ces crapauds...» (129), «Nous sommes pareils à ces poissons...» (134), «Serons-nous plus tard semblables à ces cratères... ?» (147), «Une si étroite affinité existe entre le coucou et les êtres furtifs que nous sommes devenus...» (159), «Nous sommes des malades sidéraux incurables...» (80), «J'étais une ruche qui s'envolait...» (203).

Le «parler des images», en créant des relations inédites entre le monde et les mots, impose la vision d'un sujet : «Un convalescent, je peux ainsi le "voir" de différentes façons : un homme qui va mourir ? Quelqu'un qui se bat contre la mort ?» («Entretien», 1980). L'image est donc, comme la voix, une présence du vivant dans le langage. A ce titre, elle se place en première ligne de cette résistance poétique qu'évoque Char dans l'avertissement de son recueil : «Ces notes marquent la résistance d'un humanisme... désirant réserver *l'inaccessible* champ libre à la fantaisie de ses soleils, et décidé à payer le *prix* pour cela».

Syntaxe de l'image

La forme privilégiée de l'image dans *Feuillets d'Hypnos* est la métaphore. Peu de comparaisons en effet, excepté lorsque la recherche de la signification concerne le sujet d'énonciation (voir, ci-dessus, l'avant-dernier paragraphe). Eviter la métaphore, dans ce cas, permet de «tenir» la relation analogique, sans la mener jusqu'à la métamorphose. En lisant le feuillet 105, on mesurera combien la comparaison fait toute la différence, sur ce point, avec la perspective de Kafka : «L'esprit, de long en large, comme cet insecte qui aussitôt la lampe éteinte gratte la cuisine, bouscule le silence, triture les saletés». Généralement, dans *Feuillets d'Hypnos,* la «lecture» analogique n'est pas *proposée,* mais *réalisée.*

Voici le relevé des différentes formes de la métaphore :

L'apposition : «les météores hirondelles» (175).

L'attribut : «le poème est ascension furieuse» (56), «le temps, c'est du chiendent» (26).

Le complément du nom : «ma voix d'encre» (194), «l'écriture du soleil» (181), «sa maigreur d'ortie sèche» (178), «l'été doré de ses mains» (176).

L'adjectif : «présent crénelé» (23), «épaisseur triste» (188), «bonheur bleuté» (145), «rapace solitude» (222).

Le verbe : «l'aiguillon ne renonce pas» (39), «la nausée écroule ma mâchoire» (54), «Les yeux seuls sont encore capables de pousser un cri» (104).

Un rapide relevé montrerait l'importance de la métaphore à complément de nom introduit par la préposition *de,* trois fois plus nombreuse que les autres formes. Cette prédominance est certainement un héritage des surréalistes (voir p. 78) — Char adhéra à leur groupe de 1930 à 1935 — ; mais au-delà de cette contingence, une telle forme convient particulièrement à *Feuillets d'Hypnos.* Elle permet en effet de ne pas fixer définitivement l'analogie, pourtant réalisée dans les termes, et de conserver une signification en mouvement.

La lecture peut ainsi hésiter entre une valeur génitive ou appositive de l'image. Dans «Le chemin du secret danse à la chaleur» (201), le chemin est-il celui qui mène au secret ou le secret lui-même ? Elle peut aussi balancer entre une valeur objective ou subjective de la relation, comme dans le feuillet 222 : «Les marches du crépuscule révèlent ton murmure, gîte de menthe et de romarin...». Le contexte, métaphorique, ne permet pas de décider s'il s'agit des marches que l'on fait au crépuscule, ou de l'avancée quotidienne du crépuscule, du crépuscule «en marche».

Valeur de l'image

L'image, dans *Feuillets d'Hypnos,* repose sur le mélange des catégories logiques — contribuant à la réputation d'«obscurité» faite généralement à cette poésie. Mais ce mélange des catégories correspond ici à une nécessité d'écriture : l'image est le moyen de nouer des relations entre des catégories que le rationalisme maintient séparées, et de produire ainsi une autre forme de pensée, toute orientée vers l'inconnu : «Enfonce-toi dans l'inconnu qui creuse» (212). Trois types d'oppositions remarquables se dégagent :

Animé / non-animé : «de hautes herbes veillent» (221), «un essaim d'étincelles» (52), «la chair folle du soleil» (57), «les cylindres au bout des soies multicolores s'égaillèrent sur une vaste étendue» (53).

Humain / non-humain : «Rosée des hommes» (160), «un homme sans défauts est une montagne sans crevasses» (32), «les êtres exemplaires sont de vapeur et de vent» (228), «la voix d'or du météore» (230), «confidence échangée entre les rousseurs de l'automne et ta robe légère» (222).

Concret / abstrait : «la galaxie de l'absurde» (227), «l'armure de l'ubiquité» (189), «la table tournante de la vie» (150), «l'ornière des résultats» (2), «l'étanchéité de l'ennui» (41), «les mailles d'une attente» (192), «une inondation d'absolu» (193), «ô vérité, infante mécanique» (204), «l'espoir, veine d'un fluvial lendemain» (192), «amer avenir, bal parmi les rosiers» (21).

L'examen de ces exemples, choisis pour leur représentativité, appelle quelques remarques. On constate tout d'abord que les images organisent un véritable réseau de relations entre les êtres et les choses : le non-animé tend vers l'animé, et le non-humain vers l'humain (221, 222). Inversement, l'humain incline vers le non-humain (160, 32, 228).

La seconde remarque concerne la suprématie numérique des images reposant sur l'opposition concret / abstrait. Le petit nombre d'exemples cités ne permet pas d'en rendre compte, mais ce qui est en revanche manifeste, c'est le sens de la relation. Généralement, c'est l'abstrait qui est déterminé par le concret : l'absurde est une galaxie, l'ubiquité une armure, et la vie une table tournante. Il s'agit ici d'une forme de perception de l'abstraction qui échappe à l'argumentation logique. On pourrait établir un parallèle entre cette pratique de l'image et la démarche conceptuelle de langues qui utilisent des catégories de pensée différentes des nôtres. Le linguiste Humboldt soulignait à ce sujet que des concepts abstraits «peuvent être rendus au moyen de métaphores qui ne nous sont pas familières, et qui, par suite, nous échappent» (*Introduction à l'oeuvre sur le kavi,* 1835).

5. Conclusion

L'étude du recueil *Feuillets d'Hypnos* a montré que la ponctuation, les marques typographiques, les images, sont des opérateurs de signification particuliers. Court-circuitant les indicateurs logiques (conjonctions, adverbes de phrase...), ils opèrent dans le poème des raccourcis syntaxiques qui sont la marque de l'écriture de René Char : «Remarquez que je ne brûle pas les relais, mais que je les élude. De cette spoliation est né le poème bref» («Entretien», 1980).

Ainsi, *Feuillets d'Hypnos* a témoigné de cette crise du sens — et des valeurs — que constitue l'état de guerre ; et il en a témoigné au cœur même de la fabrique de la signification, que constitue le langage.

Mais à travers ce langage, un sujet a dit l'aventure de tous. Sa voix, jusque dans l'ellipse et l'inachevé — «Présent crénelé...» (23) —, fut à la fois une parole individuelle et collective. Il y a une dimension épique dans *Feuillets d'Hypnos ;* elle n'emprunte pas le genre traditionnel de l'épopée en vers, mais s'est créée avec le *feuillet,* une forme spécifique, qui fait de la *brièveté* le mode essentiel de son écriture.

Conclusion : du poème
à la poésie

L'attitude traditionnelle face à la poésie consiste à en faire une essence, qu'elle soit dans les mots ou dans les choses. A l'époque classique, elle est fondamentalement dans les choses : « On a beau renverser l'ordre, déranger les mots, rompre la mesure ; elle perd l'harmonie, il est vrai, mais elle ne perd point sa nature ; la *poésie* des choses reste toujours » *(L'Encyclopédie).*

Le travail des poètes, à partir du XIXe siècle, consistera précisément à écrire contre cette conception, à l'image de Pierre Reverdy :

> La poésie n'est pas plus dans les mots que dans le coucher du soleil ou l'épanouissement splendide de l'aurore — pas plus dans la tristesse que dans la joie. Elle est dans ce que deviennent les mots atteignant l'âme humaine, quand ils ont transformé le coucher du soleil ou l'aurore, la tristesse ou la joie *(Cette émotion appelée poésie,* 1950).

La poésie n'est ni dans les mots, ni dans les choses. Elle est une appropriation du monde par les mots, elle est un acte sémantique : un discours. C'est le sens du propos de Robert Desnos : « Au-delà de la poésie, il y a le poème » (« Réflexions sur la poésie », 1954). En deçà aussi. Le poème est premier, parce qu'il est l'affirmation d'un sujet. Cela explique le caractère de singularité des oeuvres poétiques, quand elles sont véritablement des oeuvres : «Souvent — uniques dans toute une vie. Souvent — les toutes premières. Souvent — ultimes» (Marina Tsvétaeva, « L'art à la lumière de la conscience », 1933).

Les poèmes ne se répètent pas, et la poésie n'est pas réductible à la production de signaux stéréotypés. Ecrire des vers ou réaliser une image n'est pas faire un poème. Un énoncé ne devient pas «poétique» en gagnant une métaphore ; ce que prouve par l'absurde — ou par le grotesque — la démonstration de J.-G. Kraft remplaçant telle phrase «démunie au maximum d'éléments poétiques» : «Je viendrai vous chercher lundi quatre à huit heures» par celle-ci : «Je viendrai vous cueillir lundi quatre à vingt heures» (*Essai sur l'esthétique de la prose,* 1952). Dans un poème, la forme n'est pas un procédé, elle est liée par *nécessité* à son actualité, à sa situation historique.

Cette nécessité fait de la signification du poème non un contenu préalable mis dans une forme particulière, mais un savoir inhérent à l'oeuvre elle-même. C'est pourquoi la poésie regarde vers l'avenir — et d'abord vers l'avenir du présent. Léon-Paul Fargue expliquait que «de tout temps, la poésie fut toujours ce qu'il y a de plus "moderne", de plus dynamique. Elle est là qui nous précède et qui nous entraîne vers l'avenir» (*Lanterne magique,* 1944).

Un poète comme Malherbe, qui, à distance, nous apparaît sous les traits conservateurs d'un législateur du Parnasse, était un moderne, un réformateur qui passait même pour un iconoclaste. Il ne voyait pas grand chose de bon chez Ronsard, faisait la fine bouche devant Virgile, et méprisait le «galimatias» de Pindare. Dans le choix des mots, il donnait la priorité à l'usage «ordinaire» du langage, pour que la poésie fût lisible par tous.

La poésie est moderne — par définition, puisqu'elle cherche des façons de dire inouïes, c'est-à-dire qui émanent directement du présent de leur énonciation. Le poète «ne sait pas qu'il *proférera* quelque chose, ni, très souvent, *ce* qu'il profère» (M. Tsvétaeva, *ibid.*). La poésie est un travail pour soi et pour les autres, mais vers ce qui n'est pas encore connu. Et cet inconnu, c'est exactement le «savoir» du poème, au sens où Joseph Joubert disait du poète : «Il sait ce qu'il ignore» (*Carnets,* 1814).

Bibliographie générale

BEC (P.)
La Lyrique française au moyen âge (XIe-XIIIe siècles), Picard, 1977.
BENVENISTE (E.)
Problèmes de linguistique générale, Gallimard, 1966.
BERNARD (S.)
Le Poème en prose, de Baudelaire jusqu'à nos jours, Nizet, 1959.
BOILEAU (N.)
Art poétique, Garnier-Flammarion.
CLAUDEL (P.)
Réflexions sur la poésie, NRF, « Idées », 1963.
CORNULIER (B. de)
Théorie du vers, Le Seuil, 1982.
DU BELLAY (J.)
Défense et illustration de la langue française, Livre de poche.
DUPRIEZ (B.)
Gradus, les procédés littéraires, UGE, « 10/18 », 1984.
JAKOBSON (R.)
Essais de linguistique générale, Minuit, 1963.
LOTE (G.)
Les Origines du vers français, Slatkine, 1973.
MARTINON (P.)
Les Strophes, Champion, 1912.
MAZALEYRAT (J.)
Eléments de métrique française, Colin, 1974.
MESCHONNIC (H.)
Pour la poétique, Gallimard, 1973 ; *Critique du rythme*, Verdier, 1982 ;
Les Etats de la poétique, PUF, 1985.
MILNER (J.-C.), REGNAULT (F.)
Dire le vers, Le Seuil, 1987.
MORIER (H.)
Dictionnaire de poétique et de rhétorique, PUF, 1981.

MOUROT (J.)
> *Le Génie d'un style, Chateaubriand, rythme et sonorité dans les Mémoires d'Outre-Tombe,* Colin, 1969.

PAULHAN (J.)
> *Clef de la poésie,* Gallimard, 1944.

REGNAULT (F.)
> *Voir* : MILNER (J.-C.).

RICOEUR (P.)
> *La Métaphore vive,* Le Seuil 1975.

ROUBAUD (J.)
> *Les Troubadours,* Anthologie bilingue, Seghers, 1971 ; *La Vieillesse d'Alexandre, essai sur quelques états récents du vers français,* Maspéro, 1978.

RYCHNER (J.)
> *La Chanson de geste : essai sur l'art épique des jongleurs,* Droz-Girard, 1955.

SAUSSURE (F. de)
> *Cours de linguistique générale,* Payot, 1974.

SPIRE (A.)
> *Plaisir poétique et plaisir musculaire,* Corti, 1986.

THOMAS (J.-J.)
> *La Langue, la poésie : essais sur la poésie française contemporaine,* Presses Universitaires de Lille, 1989.

TZARA (T.)
> *Oeuvres complètes,* (t. 5), Flammarion, 1982.

ZUMTHOR (P.)
> *Essai de poétique médiévale,* Le Seuil, 1972 ; *Anthologie des grands rhétoriqueurs,* UGE, « 10/18 », 1978 ; *Introduction à la poésie orale,* Le Seuil, 1983.

Index des notions

Index des auteurs

PAO sur Macintosh
par ORDI ÉDIT'EURE

Imprimerie GAUTHIER-VILLARS, Paris
Dépôt légal, Imprimeur, n° 3838
Dépôt légal : janvier 1993   *Imprimé en France*
Dépôt légal 1er trimestre 1991